CÓDIGO FONTE

ELIEDSON JARDIM

CÓDIGO FONTE

< DO ZERO AO **100 MILHÕES** >

1ª Impressão em 2022

Presidente: Paulo Roberto Houch
MTB 0083982/SP

Coordenação de Arte: Rubens Martim
Programadora Visual: Evelin Cristine Ribeiro
Revisão: Priscilla Sipans

Vendas: Tel.: (11) 3393-7727 (comercial2@editoraonline.com.br)

Impresso no Brasil.
Foi feito o depósito legal.

Dados Internacionais de Catalogação na Publicação (CIP) de acordo com ISBD

J37c Jardim, Eliedson

Código Fonte / Eliedson Jardim. – Barueri, SP : Camelot Editora, 2022.
96 p. ; 15,5cm x 23cm.

ISBN: 978-65-80921-40-9

1. Biografia. 2. Eliedson Jardim. 3. E-commerce. I. Título.

CDD 920
2022-1027 CDU 929

Elaborado por Odilio Hilario Moreira Junior - CRB-8/9949

Índice para catálogo sistemático:
1. Biografia 920
2. Biografia 929

IBC – Instituto Brasileiro de Cultura LTDA
CNPJ 04.207.648/0001-94
Avenida Juruá, 762 – Alphaville Industrial
CEP. 06455-010 – Barueri/SP
www.editoraonline.com.br

DEDICATÓRIA

Dedico este livro à minha esposa, Fernanda Panaro, que desde os 14 anos de idade está ao meu lado lutando todas as guerras comigo (amor da minha vida, dona do meu coração, minha principal incentivadora), à minha mãe Neuza, minha inspiração e referência de empreendedorismo, e ao meu pai, Geraldo (em memória).

Dedico também aos meus sogros Romeu e Maria Marta que sempre estiveram presentes dando suporte em toda a minha trajetória, às minhas filhas Luiza e Carol, amores da minha vida, razões pelas quais nunca desisti e, em especial, a Luiz Alberto Rodrigues ("Didico" em memória) que instalou o drive da vitória em mim afirmando todos os dias que convivemos o quanto eu tinha potencial para alcançar tudo o que eu acreditasse ser possível.

SUMÁRIO

INTRODUÇÃO

São Paulo, Alphaville, Método IP 104, novembro de 2019.

Há algum tempo acompanhando o Pablo, decidimos, eu e Fernanda, que o Método IP faria sentido pra nós enquanto casal, diante de tudo que enfrentávamos naquele momento. Era como um grito contido de indignação por situações que aceitávamos e por outras que nem sabíamos que existiam puramente em nossa relação. Aquilo foi arrebatador, na semana seguinte eu estava em outro evento do Pablo, a convite dele, dessa vez para a mentoria de múltiplos sete dígitos conhecida como 7D. Pablo me convidou dizendo que eu deveria participar e que não poderia de nenhum jeito ficar de fora. Não hesitei em ir ao evento, mas com um questionamento inusitado de que eu não faturava só sete dígitos, mas múltiplos outros

Por algum momento eu cogitei a possibilidade de que aquela mentoria não era pra mim, mas qual homem com experiência de vida o bastante não pode aprender? Foi quando, em um diálogo desses, Pablo disse que o que eu sabia deveria ser repassado a outras tantas pessoas, como os que estavam ali naquela mentoria. Então me fez três simples e pontuais perguntas:

– Você tem problema com igreja, né? Alguém te sufocou lá dentro e não é sobre isso, vamos libertar as pessoas para vender na internet!

– Você dá conta de lançar essa mentoria e colocar uma data?
– Qual é a data da sua mentoria?

Goiânia, O Chamado dos Generais, Goiânia Arena, dezembro de 2021.

Próximo da virada do ano, Pablo literalmente cria um evento em Goiânia com o objetivo específico de reunir empresários, homens e mulheres do Reino, que dedicavam suas vidas em função de um propósito e uma direção que Deus os deu. Aquele lugar transbordava, pessoas de vários cantos do país encorpavam um público de mais de quinze mil pessoas no Goiânia Arena. Eu e Fernanda estávamos entre elas. A convite do Pablo, anos depois de aceitar a missão de sair da minha terra e da minha parentela, chegava ali, em Goiânia, para ouvir do homem usado por Deus que eu estava ali porque a minha patente no Reino havia sido elevada. Em um dado momento, ele chamou ao palco todos os sócios, e eu estava entre eles. De repente minha mente me levava ao dia em que Pablo havia me convidado para uma mentoria a qual "eu pensava que não deveria fazer parte". É neste momento, caro leitor, que já te entrego a primeira chave dessa obra escrita de parte da minha vida: "Quando Deus falar algo ao seu coração, ainda que a sua mente coloque a dúvida, obedeça".

Então, usado por Deus, Pablo me disse:

– Eu não conheço nenhum impressionante nesse palco, mas eu conheço todos aqueles que derramaram o coração, sua própria vida, investiram na família, investiram em tudo aquilo que o Senhor está fazendo.

– Isso é impressionante para esse mundo! – É um prazer viu, Eliedson! Deve ser difícil para o Eliedson, um homem tão rico igual a ele ter que se submeter a mim. – Vai ensinar os outros!

Onde e quando imaginamos que algum dia homens de camiseta e tênis em cima de um palco ou de um púlpito anunciariam, em sua própria linguagem, o Evangelho de Jesus Cristo? Permita-me ir muito além. Quando cogitou-se acreditar em empresários que anunciam as boas novas e toda obra vivífica da cruz? Como é possível? Dinheiro e Reino de Deus? Reunir multidões presencialmente e outras milhares de pessoas por streaming. Há algumas décadas seria um sacrilégio homens falando de "qualquer maneira" sobre algo tão sério e grandioso!

Sim, eu sei que nos dias de hoje soa engraçado para alguns e ainda inquestionável para outros, mas a intenção deste livro não é combater nem um, nem outro, mas conduzir você, leitor, ao que Deus está movendo em nossa geração e mostrar um pouco do poder (em todos os aspectos) que está sendo derramado no ambiente digital. Curas, vidas entregues àquele que morreu verdadeiramente por elas, perdão, histórias refeitas, famílias regeneradas, vícios aplacados por palavras ditas através de streaming! Reis de camiseta, tatuagem e tênis estão sendo levantados, são anunciadores das boas novas, da última chamada para o Reino.

Este livro não só vai te fazer acreditar que estamos vivendo um novo mundo onde homens e mulheres comuns são elevados ao patamar de reis e rainhas, mas também te colocar dentro de uma parte importante da história de um homem e de sua família, cuja trajetória é, também, um milagre de Deus.

"Mas Deus escolheu as coisas loucas deste mundo para confundir as sábias; e Deus escolheu as coisas fracas deste mundo para confundir as fortes. E Deus escolheu as coisas vis deste mundo, e as desprezíveis, e as que não são, para aniquilar as que são. Para que nenhuma carne se glorie perante ele."

(1 CORÍNTIOS 1:27-29)

CAPÍTULO 01

KM 113,5

"Todos nós temos duas vidas. A segunda só começa quando descobrimos que só existe A PRIMEIRA!"

CONFÚCIO

Muitos anos depois, eu ainda lembrava daquele dia que mudou o curso das nossas vidas. Tudo deveria ter acontecido de uma maneira diferente. Pelo menos, era nisso que eu e Eliedson acreditávamos – e continuamos acreditando por bastante tempo.

Naquela manhã, enquanto ele andava pela casa, se preparando para sair, algo no meu coração me dizia que era para ele ficar. Ele não me ouviu, é claro. Saiu apressado enquanto repetia a frase que eu já tinha escutado tantas vezes:

– Preciso ir. Tenho muitas praças para cobrar. Vou perder a agenda das revendedoras, você sabe como é!

Eliedson era vendedor porta a porta. Passava grande parte dos dias do mês na estrada, levando kits de lingerie para revendedoras de cidades vizinhas a São Paulo. Naquela época, a demanda tinha aumentado de maneira considerável, por conta disso, Eliedson só conseguia estar em casa uma semana por mês.

Estávamos começando a nossa família. Eu tinha 17 anos; ele ia completar 19, e nossa filha, Carolina, tinha 1 ano. Assim como todo jovem casal, nosso foco era fazer dar certo. Queríamos provar a todos os olhares que não acreditavam em nós que conseguiríamos criar nossa filha juntos. E essa nossa determinação ficava ainda mais forte com o jeito criativo e inconformado do meu marido, típico daquele garoto cheio de vontade de desbravar o mundo.

A viagem foi programada com um motorista que sempre ia junto. Eliedson dirigia bem, mas estava sem habilitação, havia acabado de fazer as provas e estávamos aguardando ansiosamente por ela! Como a região onde ficavam aquelas revendedoras era no interior do Estado, sempre tinha um parceiro para dirigir. Lembro quando saíram naquele Chevette antigo abarrotado de mercadorias, rumo a um destino que mal imaginavam.

Por volta da hora do almoço, eu estava ansiosa por notícias. Afinal, ele sempre ligava quando chegava ao destino (no telefone fixo, já que em 1993 não havia celular). Lembro bem que, enquanto esperava aquela ligação, ele surgiu pela porta, usando um casaco colorido e uma calça jeans. Fiquei surpresa e aliviada, enquanto Eliedson foi logo contando que eles haviam enfrentado um engarrafamento enorme por conta de um acidente e que o carro não suportou o trajeto, quebrando antes mesmo de saírem do Estado do Rio de Janeiro. Não teve outra maneira: voltaram para casa.

– Precisamos ir de qualquer jeito. A única saída é pegar o carro da confecção que está à venda na concessionária – disse Eliedson, enquanto almoçávamos.

Eliedson estava impaciente pelo fato de que o irmão dele insistia que era preciso cobrar as revendedoras. Este irmão era o mais velho dos filhos, e assumiu a administração da confecção da família ainda muito novo.

Como estava no início, ele vendia mercadorias da confecção da família em troca de comissão, e outras que já conseguia comprar por conta própria. Como os clientes do interior eram em parceria com a confecção, Eliedson pegou o carro para seguir viagem. Só havia um problema: o motorista que fez o primeiro trajeto precisou ficar para consertar o carro. Quem iria com ele, então? Não teve outro jeito senão convidar um rapaz que havia sido contratado na empresa um dia antes. Com tudo resolvido – e apesar da minha insistência para não irem, já que ele estava cansado, e com muitas horas de viagem pela frente – pegaram a estrada por volta das 15 ou 16 horas, mesmo com tantos avisos.

Aquela noite foi muito longa. Dormi aflita, sabia que só teria notícias dele na madrugada, considerando o tempo de viagem. As horas demoravam a passar sem notícias, até que peguei no sono. Às 5h30, já amanhecia quando o telefone finalmente tocou. Pulei da cama em direção à cozinha, onde ficava o aparelho telefônico mais próximo. Procurei ignorar a voz do meu coração, que gritava desesperadamente que alguma coisa tinha acontecido. Atendi nervosa, tudo o que eu queria era ouvir a voz dele novamente. Mas no lugar da voz de Eliedson, escutei as frases que marcariam a minha vida para sempre:

– Fernanda, sou eu, Neuza. Eles sofreram um acidente, minha filha. Um deles morreu e ninguém sabe de mais nada! – dizia Dona Neuza, minha sogra, chorando muito.

Por alguns segundos, ou talvez uma eternidade – não sei dizer – entrei em estado de choque. Àquela altura, tudo o que eu sabia era que o sobrevivente estava em estado grave, em um hospital na cidade de Itatiba ou Atibaia, e que precisava ligar para qualquer pessoa que pudesse me dar alguma informação.

Meus pais, que acordaram com o som dos meus gritos, agiram rápido e logo estavam prontos para pegar a estrada comigo. E assim seguimos, sem saber o que iríamos encontrar – um sobrevivente ou um corpo. Quase sem esperança, de parada em parada, procurávamos por qualquer informação.

Eu parecia não estar em mim quando finalmente chegamos ao hospital em Itatiba. Tremendo bastante e com a voz agitada, cheguei ao balcão da recepção e tudo o que escutei da recepcionista, em tom mecânico, foi:

– Um acidente de carro, né? Um rapaz morreu e o outro estava muito mal, por isso foi transferido para Campinas. Este hospital não tem condições de atender esse tipo de gravidade!

– E a senhora pode informar o nome do sobrevivente? – perguntei, angustiada.

– Infelizmente eu não tenho aqui. Ele foi trazido sem os documentos e, como estava muito mal, foi transferido às pressas! – respondeu com a mesma frieza.

Já estávamos saindo quando ela acrescentou:

– Mas tinha uma moça com ele... chegou aqui e seguiu junto na ambulância.

Enfim, uma frase me fez acreditar que havia uma chance! Provavelmente se tratava da minha cunhada, Eliete, irmã dele que estava em Limeira, município onde eles se hospedavam enquanto cobravam as revendedoras da região. Logo recuperei o ânimo, e do orelhão mais próximo, disquei o número da minha sogra em busca de notícias. Quando Dona Neuza disse que Eliete tinha feito contato, só consegui chorar de alívio. Eliedson estava vivo!

Percorremos mais uma hora de estrada, e quando finalmente chegamos a Campinas, aquela sensação de alívio rapidamente se transformou em um aperto no peito. Minha cabeça estava cheia de perguntas: "Como será que ele está? E se a batida atingiu o cérebro ou a coluna? Será que ele vai ficar paraplégico ou pior: vegetando sobre uma cama? Será que ele voltará a ser o mesmo?" Aquilo era pesado demais para uma menina sonhadora de 17 anos.

Logo que chegamos ao hospital, encontrei Eliete. Estava sentada no corredor e chorava muito. Quando me viu, tudo o que conseguiu fazer foi me abraçar enquanto dizia repetidamente:

– Ele está muito mal! Muito mal!

Da sala de emergência dava para ouvir muitos gritos. Ficou claro para todos ali que vinham de Eliedson, que sofria a tortura que era ter suas fraturas expostas escovadas para tirar o óleo do motor que explodiu no impacto.

– É ele! É ele! Olha isso, meu Deus! – lamentava Eliete.

Ficamos parados na porta do hospital, desejando que aquilo tudo não passasse de um pesadelo. Enquanto minha mente tentava entender que ele tinha boa parte dos ossos quebrados e que não se sabia se iria resistir, fiquei sem saber quantas horas haviam se passado. Só sabia que nada mais podia ser feito, a não ser pedir a Deus pela vida dele!

Depois de intermináveis horas, tive autorização para entrar no quarto. Depois de tomar coragem, entrei e meus olhos mal puderam acreditar no que viram.

Seu corpo estava imóvel na maca, cheio de hematomas em um tom que variava entre o amarelo e o preto arroxeado. A mucosa de um dos olhos tinha um sangue vermelho-vivo. Em uma das pernas, os ossos fraturados eram sustentados por parafusos e placas. Seu olhar estava desorientado e ele só repetia:

– O carro voou... o carro voou...

Naquele momento, algo que não sei explicar aconteceu comigo. De repente, tive a certeza de que eu amava aquele homem e estava disposta a tudo para ajudá-lo a sair daquela situação. Do fundo do coração, agradeci a Deus por ele estar ali.

Quando somos jovens, achamos que temos uma vida toda pela frente, e que isso significa muito, muito tempo. Aos 17 anos, aprendi que o jogo da vida era diferente, e entendi isso da maneira mais dolorosa possível. Eu soube, desde então, que só temos o hoje para amar a pessoa que está ao nosso lado. Não sabemos se o amanhã virá. Por isso, todos os dias, eu escolho viver o momento que temos, esquecer as diferenças, as divergências de opinião e todas as outras coisas que ficam tão irrelevantes diante da possibilidade do fim. Tenho plena certeza de que aquele acidente foi decisivo para que estivéssemos juntos até hoje.

***

O meu lado da história:

Eu já estava acostumado a viver pegando a estrada. Dia após dia, muitos quilômetros me separavam da Fernanda e da Carol, e eu procurava entender a situação, afinal, era preciso trabalhar.

Mas naquela manhã havia algo diferente. Uma espécie de angústia me incomodava, um tipo de pressentimento de que algo muito ruim estava prestes a acontecer. Mas resolvi não dar bola para meus pensamentos. O motorista já me esperava na porta de casa, de maneira que reuni minhas coisas, me despedi da Fernanda na garagem e, naquela manhã chuvosa de março de 93, parti.

Eu sabia que aquele Chevette velho que usamos dificilmente aguentaria a viagem até São Paulo. Era um Chevette ano 1977, daqueles bem antigos. Quando retornamos naquele mesmo dia a Friburgo, Fernanda ficou surpresa e insistiu para seguirmos viagem somente no dia seguinte. Mas eu não podia esperar por uma boa ocasião para cumprir com o meu dever na confecção, até porque perder o dia de cobrança nas revendedoras significava criar uma grande confusão para tentar reagendar a data. Como a pressão da família era grande, acabei arranjando outro carro de última hora.

Em pouco tempo estávamos com o novo carro carregado de mercadorias, quando o motorista avisou que havia desistido da viagem. Com tantos contratempos, um percurso que tinha tudo para ser tranquilo começou a estourar o horário. Foi nesse momento que alguém da empresa teve a ideia:

– Por que você não chama o Adão?

Parecia uma boa solução. Recém-contratado na confecção da família para fazer serviços gerais, Adão havia trabalhado por muitos anos como vendedor de uma grande empresa, e até onde se sabia, tinha adquirido uma boa experiência de direção. Logo me aproximei dele e disse:

– Oi, Adão, tudo bem? Cara, tô precisando de um motorista. Topa me ajudar? Bora encarar esta empreitada comigo?

Animado, ele respondeu:

– Vamos!

Pegamos a estrada por volta das 16h30. Mas, com cento e poucos quilômetros percorridos, o carro começou a falhar sob a chuva, então, foi preciso parar no acostamento. Não era possível que tudo estivesse dando errado pela segunda vez. Seria mais um aviso? Mas resolvi não reclamar, até porque não tínhamos tempo pra isso. Pacientemente, secamos a peça do carro que havia molhado e, assim que conseguimos dar partida, continuamos a viagem. Já era noite quando um engarrafamento nos manteve presos por horas na rodovia Dutra, resultado de um grave acidente envolvendo um ônibus que atravessou a pista e atingiu um carro.

Foi dessa forma que as previstas oito horas de viagem, de repente, se transformaram em um dia inteiro. Decidimos seguir até São José dos Campos, rumo à casa de uma revendedora que era amiga da família, de onde consegui telefonar para a minha mãe, contar o que tinha acontecido e avisar que chegaríamos a Limeira bem tarde, porém, sãos e salvos.

O trajeto continuaria pela rodovia Dom Pedro Primeiro, que dá acesso ao interior de São Paulo/ Campinas. O papo rendeu até determinado ponto, quando percebi que Adão já começava a dar sinais de cansaço. Sem habilitação, eu nada podia fazer a não ser insistir na conversa, tentando mantê-lo acordado. Passado o primeiro pedágio, eu também comecei a ficar cansado, mas faltava pouco para chegarmos ao nosso destino, então, acabei cochilando. Foi nesse momento que, no km 113,5, em uma das pontes da rodovia, aconteceu. Não sei exatamente em que instante Adão dormiu. Só sei que, quando abri os olhos novamente, estava prestes a viver os momentos mais devastadores da minha vida.

O carro desgovernado caiu no canteiro central que dividia as duas pistas. Era um gramado em declive para escoamento de água. Foi tudo muito rápido! Acredito que ele acordou no desespero e até tentou voltar o carro para a pista, mas já era tarde demais! Logo na sequência havia duas pontes com um retorno por baixo. Acordei com o carro sacudindo e uma sensação terrível de flutuar que ficou gravada na minha mente pra sempre. Ainda hoje consigo lembrar daquela sensação, do carro voando entre as pontes. Nos segundos seguintes, muitos gritos e barulho de ferro retorcendo e vidros quebrados de forma ensurdecedora, enquanto batíamos a toda velocidade em um muro gigantesco de contenção. Em frações de segundos, meu cérebro disparou uma série de imagens com uma intensidade e rapidez incríveis: momentos da minha infância, minha família, lembranças de Fernanda e Carol.

Em algum momento, apaguei. Quando recobrei a consciência, fiz um esforço gigantesco para movimentar uma das mãos e apalpei partes do meu corpo para entender o que havia acontecido comigo. Ao tocar meu outro braço, senti que alguns dos meus ossos estavam expostos. O óleo do motor havia se espalhado por todo lado e cobria muitas partes do meu corpo. No meu rosto machucado, percebi que tinha perdido alguns dentes, talvez por isso estivesse sentindo gosto de sangue na boca.

Lembro que, naquela escuridão, fiz grande esforço para enxergar algum sinal do meu parceiro de viagem. Só me dei conta do estado grave em que nos encontrávamos quando vi o corpo dele preso entre as ferragens. Não restavam dúvidas. Adão estava morto.

De repente, tudo ficou silencioso. Eu tentava manter o ritmo da respiração enquanto minha mente explodia em lembranças. Lembrei de momentos especiais com a pequena Carol, do sorriso da Fernanda quando nos conhecemos, ainda pré-adolescentes, e da maneira como me apaixonei perdidamente por aquele olhar desde a primeira vez em que nos vimos. Eram todas recordações que me faziam querer desesperadamente ficar vivo.

Preso entre as ferragens em um vão apertado e com a respiração fraca, eu só pensava em me manter acordado. Sentia que estava perdendo muito sangue e como aquele provavelmente era um lugar de difícil acesso, passei a desacreditar que fosse ser encontrado vivo. Depois de muito tempo gritando por socorro, comecei a perder as forças. Depois de esperar tanto, senti que ia morrer. Naquele momento, inclinei minha cabeça para o lado e pedi para Deus me levar.

Estava a ponto de me entregar quando vi uma luz vinda do farol de um carro. Com as poucas forças que me restavam, consegui soltar alguns ruídos pedindo por socorro, e por um milagre fui ouvido. Um veículo com três ou quatro ocupantes parou. O espanto foi imediato quando me viram. Achei que fosse ser socorrido naquele momento, mas senti a minha aflição aumentar quando, em vez disso, disseram que iriam buscar ajuda. Horas depois, quando finalmente pude escutar o som da sirene e ver as luzes da ambulância, senti uma mistura de euforia e gratidão. Eu estava vivo e iria ser resgatado!

O trabalho dos profissionais da equipe de emergência foi muito difícil. Enquanto forçava o meu corpo ao limite para me manter acordado, vi que o teto do carro precisou ser cortado e meu banco quebrado para que eu pudesse sair. Até então, o nível de adrenalina não tinha me deixado sentir dor, mas naquele momento notei que a minha situação estava pior do que imaginei. Além da fratura exposta no braço, havia uma chapa de metal retorcida atravessada em um dos meus joelhos.

O primeiro rosto conhecido que pude ver foi o de Sérgio, o marido da revendedora que morava em São José dos Campos, onde fizemos uma das paradas. Estava com muita sede, mas não me deram água por causa da cirurgia de emergência que estava prestes a fazer. Foi então que Sérgio colocou um algodão umedecido na minha boca, e senti uma profunda gratidão.

No instante em que vi o rosto de Eliete, senti uma sensação de segurança. Como estava próxima dali, em Limeira, minha irmã foi o primeiro familiar que conseguiu chegar ao hospital, e logo depois veio a Fernanda. Somente a partir do instante em que a Fê chegou, tive a plena certeza de que não estava morto. Tudo o que eu queria era mantê-la junto de mim, e estava decidido a enfrentar a cirurgia que viria pela frente, os dias difíceis de recuperação e o que mais fosse preciso para ficar vivo, de qualquer maneira.

Afinal, estar vivo era um milagre. Fraturei cinco costelas, as duas clavículas, os dois ossos do antebraço esquerdo com fraturas expostas, tive fratura nos ossos da face e em alguns dentes, perda parcial da visão do olho esquerdo (até hoje), fratura e esfacelamento do fêmur, além do pulso fraturado em cinco partes. E tudo isso sem nenhuma sequela além da visão.

Quem já esteve perto de olhar a morte nos olhos entende a importância de refletir sobre a vida. Anos depois, pensando sobre aquele dia traumático, percebo o quanto fiquei fortalecido em todos os aspectos. Entendi que Deus estava me dando uma nova oportunidade de recomeçar, e eu havia aceitado e agarrado aquilo com todas as minhas forças. Entendi que a vida pode terminar em uma fração de segundos. E aprendi, acima de tudo, que não tenho controle sobre nada, que tudo o que me resta é decidir como vou reagir ao agora, diante de uma segunda chance.

CAPÍTULO 02

VIVER: UM ESPORTE RADICAL

"A arte de competir é a arte de esquecer os limites, esquecer as dúvidas, esquecer a dor, esquecer o passado, esquecer aquela voz interior que grita e implora: não dê nem mais um passo! E quando não for possível esquecer essa voz, negocie com ela!"

PHIL KNIGHT (CRIADOR DA NIKE)

Sempre fui apaixonado por esportes radicais. Desde criança, sonhava com a velocidade, assim como meu irmão e outros meninos. Eu era uma criança cheia de energia, mesmo!

Sou o caçula de quatro irmãos. Minha mãe começou a trabalhar muito nova, aos quatorze anos, em uma grande fábrica de lingeries da região onde morávamos, sendo que teve que falsificar os documentos para começar. Éramos uma família muito simples. Não nos faltava o básico, mas tudo era conquistado com muito esforço.

Nesse contexto, sendo eu o mais novo, peguei a melhor fase financeira dos meus pais. Minha mãe tinha sido aposentada por problemas circulatórios nas pernas. Qualquer outra no lugar dela certamente teria se acomodado por não poder mais trabalhar durante longas horas em pé ou sentada em uma máquina. Mas ela não era assim. Mesmo doente e com problemas crônicos nas pernas, continuou trabalhando em casa como costureira e, aos poucos, foi montando a confecção que sustentaria a nossa família. E como eu era o temporão, minha infância foi menos dura em comparação à de meus irmãos. Meus pais, dentro do possível, procuravam me proporcionar tudo o que os outros não tiveram a oportunidade de ter.

Minha paixão por esportes radicais começou com a bicicleta. Eu era o mais levado da rua onde morava, e vivia me arrebentando todo, sendo que os vizinhos já até sabiam da minha fama. Lembro que, em um desses episódios, eu queria fazer uma curva muito rápida próximo a um dos muros dos prédios em que morávamos, e raspei a pele dos dedos até os ossos da mão ficarem expostos. Minha mãe quase morreu, mas meu desejo pelo que era radical continuava lá!

Quando entrei na adolescência, essa paixão migrou para as motos de competição. Eu sonhava em fazer motocross e seguir carreira como piloto. Depois de muita insistência – e de ter construído e destruído muitas mobiletes – meus pais decidiram comprar uma moto de competição para eu começar. Na época, eu tinha 14 anos e o esporte era muito popular. Várias cidades do interior organizavam corridas para iniciantes em festas e aniversários dos municípios, e eu queria fazer parte daquilo, pois tinha talento para o esporte!

Comecei minha jornada nas corridas de motocross. A primeira foi uma moto Agrale Explorer amarela e preta totalmente preparada para enduro, uma modalidade do motociclismo praticada em pistas todo-terreno (fora da pista). Naquele mesmo ano veio a minha primeira competição. Com o apoio da minha família, fiz a inscrição para o enduro que aconteceria no próximo aniversário da cidade. Fui com a cara e a coragem, sem nenhum treinamento, apenas nas trilhas em que costumava me arriscar. Mas deu tudo errado! A moto quebrou no meio da corrida, mas fiquei bem. Foi então que o bicho do *off-road* me pegou de vez. Eu nunca mais seria o mesmo. Daquele dia em diante, estava decidido: eu faria o que fosse preciso para competir profissionalmente!

Assim como tudo na minha vida, nunca esperei aprender muito para começar. Talvez por isso mesmo eu seja uma pessoa que realiza muitas coisas, mas, ao mesmo tempo, sofre bastante as consequências e vive os erros intensamente. E com as corridas de motocross não foi diferente. Saí dessa experiência cheio de confiança. Quando fiquei sabendo que haveria outra etapa do campeonato estadual em uma data próxima, não pensei duas vezes em me inscrever.

Daí em diante, comecei a pontuar bem nas etapas e a me destacar na categoria estreante para motos de 125 cilindradas, além de passar a correr pelo campeonato brasileiro. Foi uma paixão avassaladora, tudo o que eu fazia era andar de moto. Na época, eu já namorava a Fernanda, que tinha que conviver com um piloto obcecado por correr e participar de todas as etapas, além de ter de viajar por todo o Estado em várias cidades, sempre aos fins de semana.

Foi assim que passei parte da minha adolescência, com a minha família indo a todos os lugares para me ver correr. O motocross passou a ser um estilo de vida. Eu soube que minha sorte estava lançada assim que fiz a inscrição para um curso estilo imersão com o piloto norte-americano Donnie Hansen, o famoso *hole shot* (tiro certo) que até os dias de hoje segue preparando pilotos nos Estados Unidos, onde o esporte nasceu. Ele havia ganhado esse nome pela habilidade em largar como uma bala, ganhando vantagem sobre os outros pilotos já no início da competição. Era tão rápido que parecia um tiro, uma bala! Estava tudo perfeito, só que meus planos seriam drasticamente alterados a partir deste ponto. O sonho de uma carreira profissional no esporte não seria mais o mesmo.

Alteração de rota

Estava tudo certo para o início do curso. Tudo pago. Mas, nesse meio-tempo, descobrimos que Fernanda estava grávida. Foi como uma bomba para nós dois. No fundo, eu sabia que minha carreira como piloto seria comprometida, e que não conseguiria mais competir, pelo menos não mais como agora. Mas, mesmo assim, resolvi fazer o curso.

Fernanda e eu éramos inexperientes. Nossa história começou quando ela tinha 13 anos e eu, 14. Ela tinha crescido conforme as regras rígidas da família, então, no começo, tivemos que nos encontrar escondidos. Sua mãe, Marta, só permitiu que eu frequentasse a casa da família como namorado um ano depois.

Diante dessa situação, sabendo da gravidez, ficamos atordoados e não tínhamos coragem de contar para a família sobre a situação. Nosso primeiro pensamento foi arranjar uma clínica clandestina para fazer o aborto. Eu não queria ser pai precoce. Um dia, falei sobre isso com a minha irmã. Com o tempo passando, esta irmã não aguentou a pressão e contou para a minha outra irmã. Minha mãe logo ficou sabendo e marcou um café na casa da família da Fernanda.

Dona Marta nos recebeu com alegria e o papo na mesa do café corria bem. Mas, após alguns minutos de conversa, minha mãe disse, com a voz firme:

– Nós não viemos para tomar café. Viemos porque a Fernanda tem uma coisa para te contar, Marta.

Dona Marta ficou parada, esperando escutar qualquer resposta da Fernanda. Mas as palavras da Fê não saíram.

– Fale alguma coisa, menina! – Dona Marta ordenou, aos gritos.

Então, Fernanda disse, murmurando:

– Eu... eu... estou grávida.

– O quê? Não entendi, o que você disse?

Marta não suportou a resposta. Deu um grito de desespero e teve uma crise de choro compulsiva. Ligou para o marido chorando e disse:

– Venha depressa. Algo muito sério aconteceu, mas não posso explicar agora.

Quando escutei os passos do homem subindo as escadas, só desejei não morrer. Eu sabia que ele andava armado, então, tratei logo de me posicionar atrás do sofá, próximo à porta que dava para a varanda. A qualquer sinal de perigo, seria de duas, uma: fugir ou me esconder.

Felizmente, quando o pai da Fernanda chegou e viu aquela cena, entendeu do que se tratava e respirou aliviado. Ele achou que era algum tipo de assalto.

Fomos embora para casa, e o silêncio reinou por dias. Não conseguia falar ao telefone com Fernanda. Dona Marta havia pedido um tempo para digerir tudo e resolver o que faríamos.

Agora que todos sabiam da verdade, não fazia sentido pra mim outra coisa senão me casar e assumir nossa filha. Não pensava muito em como faria para sustentar as duas. Só tinha certeza de uma coisa: ela era o amor da minha vida! E mesmo com pouca idade, e o descrédito de todos da família, eu sabia que não poderia recuar.

Foi quando finalmente recebemos uma ligação. Fernanda estava no hospital correndo o risco de perder o bebê. O estresse havia sido tão grande que ela entrou em processo de aborto. Dali em diante todos entramos em um consenso. Amávamos aquela criança e faríamos tudo por ela. Minha família e a família da Fernanda entenderam que precisavam nos apoiar nesta jornada.

Tudo foi organizado às pressas. Nos casamos em setembro daquele mesmo ano. Comecei logo em seguida a trabalhar em vendas porta a porta. Era o início da nossa trajetória.

Os dias se passaram e tudo corria bem com as vendas. Graças a Deus estávamos conseguindo ganhar bem e mobiliar um apartamento para sair da casa dos pais da Fernanda (morávamos com os pais dela). Até que o acidente veio a interromper essa jornada. Dali em diante, fiquei quatro meses em uma cadeira de rodas dependendo das pessoas para tudo, até para me dar banho. Foi um período de aprendizado muito grande para mim, mas, ao mesmo tempo, foi uma demonstração de amor e carinho de todos que me cercavam. E isso tudo com gestos simples, como me levar para passear ou tomar sol. Foi nesses momentos que pude viver o amor que as pessoas sentiam por mim de verdade, e o quanto os que me cercavam estavam celebrando por eu estar vivo.

Além do período na cadeira de rodas, passei mais um ano usando muletas por ter fraturado o fêmur. Também precisei de muitas sessões de fisioterapia para recuperar o movimento de um dos braços. Fiquei impossibilitado de trabalhar, então, vocês imaginam o quanto foi difícil passar por isso, já que passei a depender ainda mais do meu sogro, da minha sogra, da minha família. Eu não tinha como produzir receita, fiquei realmente incapacitado.

Tudo aquilo parecia soterrar todo tipo de expectativa, mas não foi isso que aprendi com o esporte. A resiliência, o foco e a vontade de vencer que herdei do esporte foram cruciais nesse momento. Usei o motocross como uma fonte de ancoragem, pois sabia que a minha recuperação seria longa e precisava estar motivado para conseguir. Afinal, tinha fraturado o fêmur com esfacelamento de parte do osso, precisei fazer enxerto ósseo e quebrei duas clavículas. Tive, também, duas fraturas expostas no antebraço, o pulso esfacelado em cinco partes, cinco costelas quebradas, e ainda, uma fissura da face, além de perder parcialmente a visão do olho esquerdo.

Mas nada disso me fazia desistir. Eu só tinha um foco, queria ser inteiro novamente e, para isso, não mediria esforços. E assim, pautei toda a minha recuperação. Queria ser inteiro para a minha família, minha esposa e meu esporte! Muitas vezes, o desejo de subir novamente em uma moto e competir mais uma vez foi o que não me fez desistir.

Finalmente, três anos depois do acidente, eu estava entrando novamente no hospital, em Campinas, o mesmo onde eu havia passado os piores momentos da minha vida. Só que, dessa vez, era por um motivo vitorioso, estava lá para remover as platinas ósseas que precisei colocar. Agora, aquelas peças que antes tinham me feito andar novamente precisavam ser removidas para que eu pudesse praticar o esporte que amava! Era o fim de um ciclo na minha vida, e eu estava livre novamente, inteiro e pronto para recomeçar!

CAPÍTULO 03

O INÍCIO DOS RECOMEÇOS

“Para aprender a voar é preciso não ter medo de cair.”

AUTOR DESCONHECIDO

O medo é uma emoção, não há dúvidas disso. Uma das mais fortes, antigas e enraizadas do ser humano. Por tentar ousar, pessoas que se metem em problemas e arriscam tudo em um novo negócio são usualmente consideradas erradas, simplesmente por ter a audácia de desafiar o *status quo*.

O interessante a respeito das pessoas que resistem aos problemas e não desistem dos seus sonhos é que elas bloqueiam o medo ativamente por si mesmas. O medo continua lá, mas é abafado por uma história de superação, uma história onde o foco é verdadeiramente fazer algo que importa, onde o inconformismo é sempre maior do que qualquer desafio.

Eu acredito que você pode vencer o medo, traçando um plano de jogo que torne o medo obsoleto, e colocando este plano em prática diariamente, com correções de rotas a cada desafio. Alguns parágrafos não serão suficientes para desfazer uma vida inteira de medo. Então, pare por um segundo e pense sobre isso. O grande atalho neste livro, a instrução interna, é esta: a única coisa que atrasa você é o seu próprio pensamento de falhar e ser julgado por isso. Não é fácil admitir, mas é essencial entender: você é e sempre será o seu maior adversário.

Nossos primeiros instintos sempre nos fazem acreditar que a queda é o fim quando, na verdade, é apenas o início de uma nova jornada. Curiosamente, são as dolorosas experiências que nos dão as mais valiosas oportunidades de elevação e aprendizado. São nesses momentos que aprendemos a agarrar as oportunidades. E foi num dia de 1994 que uma destas oportunidades apareceu na forma de um convite do meu sogro para trabalhar no escritório de uma de suas drogarias. Sem dúvida, aquela foi uma parceria em que nós dois ganhamos. Ele precisava de uma pessoa de confiança, e eu, ainda em processo de recuperação, precisava de um emprego que me permitisse trabalhar sentado na maior parte do tempo.

Cheguei com sede de aprender, e sabia que aquela empresa, atuante no mercado há muitos anos, seria uma grande escola para mim. Não demorou para que eu começasse a entender mais sobre os fundamentos da gestão, a precificação de produtos, a política de descontos, o giro de estoque e tantos outros conceitos que se mostrariam muito úteis em um futuro mais próximo do que eu imaginava.

Seu Romeu era um empreendedor nato. Farejava negócios e oportunidades com incrível facilidade, a proatividade estava gravada em seu DNA. Acho que ele enxergava um pouco daquela essência em mim. Até por isso, à medida que o tempo passava, ficava cada vez mais claro para nós dois que a minha permanência na farmácia seria breve, afinal, ardia em mim um desejo incontrolável de voar e viver minhas próximas experiências.

Quando, em um dia daqueles, Seu Romeu viu uma oportunidade que achou imperdível, logo me chamou para fazer parte de um novo projeto. Uma grande empresa da época tinha aberto a compra de seus produtos por atacado para revendedores. Aquela era das lojas que vendiam quase tudo, de importados chineses a outras bugigangas que todo mundo precisa – ou acha que precisa. Aos nossos olhos, parecia ser um negócio disruptivo e inovador, afinal, naquela época, não existia nada parecido no mercado.

Então começamos a comprar produtos por atacado e revender pelo preço comercializado por eles, mas a margem de lucro não era boa e, ao longo do tempo, fomos percebendo que o giro de dinheiro era alto, mas sem lucro suficiente. Foi então que a ficha caiu. Naquele jogo, não passávamos de meros cobaias para uma companhia que desejava testar o mercado em novas regiões. Era um formato de trabalho que simplesmente não funcionaria.

Mas eu não iria desistir tão fácil assim. Comecei a alugar ônibus e fazer várias viagens ao Paraguai para trazer produtos.

Lembro das longas e arriscadas travessias. Eram viagens lotadas de homens onde só havia pornografia e bebidas. Passávamos horas em assentos desconfortáveis, sem contar que, muitas vezes, perdia os produtos na fiscalização da Polícia Federal. Era o famoso "ouro de tolo".

Aquela foi uma época em que eu me desdobrava para equilibrar meu tempo entre as viagens, a administração da loja e o meu papel como pai e marido. O dinheiro era escasso e o esforço era absurdo. Para completar o mix de produtos da loja – que variava entre televisores, bicicletas ergométricas, aparelhos de som e tudo o mais que desse um bom retorno de vendas – eu fechava negócio com um grande número de parceiros. Foi uma estratégia que fez o negócio dar certo, ao menos por um tempo.

O final de 1996 foi de comemoração. Depois de muitos dias perseverantes e atribulados, havíamos conseguido. Tínhamos fechado ótimas vendas na época do Natal e experimentávamos uma gostosa sensação de dever cumprido. E, como forma de recompensa por tanto esforço, planejamos uma viagem à praia. Trabalhamos até a véspera, colocamos as crianças no carro e seguimos para momentos merecidos de lazer.

Mas, novamente, o destino resolveu nos atingir com um duro golpe em todo o nosso esforço. No dia 27 de dezembro, já próximo da virada do ano, uma tempestade com força extrema tomou Nova Friburgo, deixando boa parte do centro da cidade submersa. Em um impulso de destruição, a enchente foi levando o que pôde. Muitas empresas perderam tudo. Soubemos que uma das três lojas do meu sogro tinha sido afetada, justamente aquela onde mantínhamos o nosso depósito de mercadorias.

Não podíamos acreditar. Quando chegamos ao local, assistimos aos nossos sonhos irem por água abaixo novamente. A altura da água havia coberto um terço da parede, deixando televisores, aparelhos de som, micro-ondas e muitos outros aparelhos eletrônicos destruídos. Pilhas de caixas caíram e boiavam diante dos nossos olhos cobertos de lágrimas. Infelizmente, muito pouco foi salvo.

A negociação com as empresas foi catastrófica. Com muito custo, conseguimos prorrogar um pouco o prazo para quitar as dívidas, e foi só. Resultado: poucas mercadorias para vender; muitas dívidas para pagar. A situação piorou com uma chuva de protestos em cartório e cobrança de fornecedores. Naquele momento, compreendi uma das realidades mais difíceis do mundo dos negócios: você vale o que tem no bolso.

Um salto para a transformação

As adversidades trouxeram os problemas em casa. Nosso casamento estava se destruindo em um mar de desentendimentos, e a nossa imaturidade nos fazia cair no erro de achar que o problema está sempre no outro, nunca em nós mesmos. Eu sabia que aquela era uma espécie de prova de fogo, que assistíamos aos nossos sentimentos se afundarem em discussões e mágoas. De repente, estávamos lado a lado, mas a anos-luz de distância um do outro.

Ora, onde tinha ido parar todo aquele amor que cultivamos e que nos impulsionou a enfrentar tantos desafios para ficarmos juntos? Estávamos sem chão e precisávamos desesperadamente de algo para nos segurar firmes. E quando tudo parecia perdido, resolvemos no íntimo dos nossos corações que não iríamos aceitar aquela situação. Foi quando a mudança veio.

Foram dias difíceis de conversas. Falamos sobre muitas coisas: sobre como pode ser difícil passar por cima das nossas dores e mágoas, sobre a dolorosa sensação de incapacidade diante dos problemas e, principalmente, sobre como tudo estava dando errado. Naquele instante, lembrei que tinha uma Bíblia, presente que havia ganhado de um primo quando retornei do longo período de recuperação pós-acidente. Seis anos já haviam se passado desde aquele dia trágico e, desde então, aquela Bíblia descansava no fundo do armário.

Sentados no sofá da sala, começamos a oração que considero a mais pura e simples que já fizemos. Após a leitura de um Salmo, dissemos:

"Deus, precisamos de ajuda. Não sabemos como pedir, só queremos que o Senhor resgate o amor que sentimos um pelo outro. Nós erramos e já estamos sem forças, mas queremos consertar tudo e estamos aqui, abrindo as portas para que o Senhor transforme as nossas vidas."

A partir de então, passamos a frequentar uma igreja e buscar o entendimento da Palavra. Reconstruímos os nossos ideais e tomamos um novo rumo. Era o início de uma nova e revolucionária etapa em nossas vidas.

***

Quando, ao lado de Eliedson, conheci este Deus, uma sensação de deslumbramento tomou conta de mim. Um novo universo se descortinava à nossa frente, e conforme mergulhávamos nele, o milagre ficava cada vez mais evidente: nossas feridas haviam sido curadas e nosso amor resgatado. Era fato: Deus, o cordão de três dobras que nunca se arrebenta, era tudo o que nos faltava.

Não demorou para que iniciássemos o curso "casados para sempre". E tamanha era a vontade de compartilhar a nossa experiência com o Deus que tinha trazido de volta o nosso amor que logo viramos líderes de casais.

Eu não fazia ideia de que poderia existir algo tão extraordinário. Eu queria que todos conhecessem o poder de Deus, e me deixei levar com tal entusiasmo por esse desejo que não percebi que aquilo havia se tornado algo radical o suficiente para afastar as pessoas de nós.

A igreja havia nos mostrado o Deus vivo, mas, ao mesmo tempo, nos escravizava com dogmas e regras. Aos poucos, eu ia me dando conta de um dos grandes problemas ligados à religião: alguns limitam o caminho até Deus a um conjunto de regras impossíveis de cumprir quando, na verdade, Deus nos oferece a possibilidade de liberação. Cristo é o único e vivo caminho, e nossa única tarefa é escolher este caminho todos os dias.

Entre tropeços e reviravoltas

A prática de usar cheques pré-datados como forma de pagamento havia se tornado comum no comércio daquela época, e para nós que trabalhávamos com vendas, esse era um grande problema. Em poucos meses, tínhamos nas mãos um número exorbitante de cheques sem fundo, e o negócio passou a não se equilibrar.

Logo percebi que não tínhamos mais tempo: eu precisava resolver aquela situação, sob o risco de ter que fechar a loja. Depois de quebrar a cabeça pensando no que fazer para sair daquela enrascada, cheguei à conclusão de que precisava de uma pessoa para fazer aquelas cobranças. Certo dia, um conhecido me disse saber de um policial que, segundo ele, "podia cobrar qualquer cheque", em troca de uma porcentagem do valor cobrado.

Então, decidi marcar uma conversa e "experimentar o serviço". Passei alguns cheques para ele cobrar e aguardei. Já estava anoitecendo quando ele estacionou o carro em frente à loja e disse:

– Estou com aquele rapaz dos cheques sem fundo. Preciso saber o que quer que eu faça com ele.

Sem entender aquela situação, respondi:

– Ora, como assim o que eu quero que você faça com ele? Eu disse para cobrar o cheque.

Então, ele prontamente respondeu:

– Estou com ele no porta-malas do carro e...

Meu sangue gelou. O que era aquilo? Um sequestro? Eu não podia acreditar no que havia me metido. Então, falei:

– Cara, você é maluco! Eu nunca disse para você fazer isso com o rapaz! Pelo amor de Deus, se for para você cobrar assim, deixa esse dinheiro pra lá. Não quero mais receber isso, não!

Então, o policial arrancou com o carro e foi embora. Levei algum tempo para me recuperar daquele estado de perplexidade. Algum tempo depois, eu soube que, felizmente, o rapaz havia sido liberado, e nunca mais vi nenhum dos dois.

O trabalho na loja correu sem descanso, até atingirmos o limite da nossa exaustão – e o pior – sem o lucro que esperávamos. As dívidas causadas pelo desastre se acumulavam e, aos poucos, eu ia percebendo que aquele era um modelo de negócio que não tinha mais como funcionar. Foi quando minha mãe me chamou para uma conversa e me estendeu a mão. Dona Neuza, a costureira incansável que havia garantido o sustento da família, disse:

– Vou te dar umas calcinhas infantis que vendem bem, comprar as malhas e os elásticos com um cheque pré-datado para sessenta dias e você vai ter esse prazo para vender, fazer o dinheiro e cobrir esse cheque.

Começava mais um momento de transição. Fizemos o primeiro lote como teste, para ver no que iria dar. E deu certo! Então, passamos a tocar os dois negócios por um tempo, até nos organizarmos para fechar a loja. Lembro-me claramente do dia em que saímos da loja, e tudo o que havíamos recebido eram vários cheques pré-datados pagos pelo que sobrou que, somados, não passavam de mil e quinhentos reais (no dinheiro de hoje, entre 10 e 15 mil reais).

Um novo começo nos surpreendia, e eu sentia que estávamos prontos, especialmente porque passávamos a entender que éramos um casal e estávamos determinados a nos unir para fazer funcionar. Com o apoio indispensável das duas famílias – a minha e a dela – que entenderam que a nossa imaturidade não era maior do que a nossa vontade de vencer, iniciamos essa nova jornada com um pequeno grupo na casa de uma costureira. A rotina envolvia receber os produtos semiprontos da costureira, tirar as sobras de linhas, finalizar o acabamento e embalar as peças. Até mesmo as crianças ajudavam.

Começamos com encomendas modestas, até conhecermos um lojista do Brás, um dos bairros cujo comércio se concentra no vestuário. Mais uma vez, a oportunidade batia à nossa porta, e não havia tempo a perder. Prontamente, puxei as amostras que tinha, ele gostou muito e fechamos negócio na mesma hora.

Sabíamos que, até então, aquele era o nosso maior pedido, e que não havia tempo suficiente para embalar e entregar. Só havia uma maneira, e não pensamos duas vezes antes de encará-la de frente: pegamos o carro, colocamos as peças prontas e as embalagens e seguimos para São Paulo. Eu dirigia enquanto a Fernanda ia embalando uma a uma. Foram oito horas de viagem até o local de entrega, e a sensação que experimentamos ao concluir aquele pedido não pode ser descrita por outra palavra senão uma: vitória. Foi assim que o espaço apertado onde acumulávamos as primeiras peças para venda deu lugar a uma ampla sala alugada que abrigaria novas máquinas de costura, trazendo a promessa de uma nova era no mundo dos negócios.

Refletindo sobre tudo isso, acho que você que está acompanhando esta história agora talvez possa olhar para a vida de grandes empresários e pensar: "Esse cara só acertou na vida! Deve ter vindo de uma família de empresários bem-sucedidos". O que você possivelmente não imagina é que os degraus para o sucesso, muitas vezes, são galgados ao custo de uma série de erros, acertos e, principalmente, aprendizados. E só enxerga isso quem percorre o caminho com a disposição de olhar para trás e tirar as melhores lições das experiências felizes e também das difíceis.

E em um mundo obstinado pelo sucesso, às vezes, a vida nos obriga a lidar com o fracasso. E o fracasso dói. Fere o nosso orgulho, machuca o íntimo da alma e nos faz lembrar que somos humanos. Mas o grande problema é que, quando se está em meio a um turbilhão de dificuldades, é fácil acreditar que você se resume à fase que está vivendo. Aí está a grande cilada.

Soterrado por adversidades, compreendi que o fracasso também pode significar transformação. Percebi que cada derrota nos oferece a chance de aprender com os nossos erros e fazer melhor da próxima vez. Talvez você, assim como eu, tenha cometido muitas faltas. Mas saiba que cada novo dia nos reserva a extraordinária chance de recomeço. Então, não desista. Procure pelo aprendizado constante, inspire-se nos melhores e, se necessário, mude o foco, pois são as suas atitudes hoje que vão transformar o seu amanhã.

CAPÍTULO 04

CRIANDO RAÍZES

“A vida é dez por cento do que acontece com você e noventa por cento como você reage a isso”

CHARLES SWINDOLL
(escritor norte-americano)

Quando o assunto é empreender, eu sempre fui daqueles caras que tem os olhos voltados para o futuro. Assim que assumi a confecção, tratei logo de implantar estratégias para melhorar a produtividade e diminuir os custos, como células de produção e sistema de gestão de produção e estoque. E como resultado, pela primeira vez em nossas vidas, pudemos enxergar a possibilidade de um negócio promissor.

O desenvolvimento da empresa aconteceu em proporções astronômicas. Em um curto espaço de tempo, mudamos para um prédio bem grande e, logo depois, para outro ainda maior. Produzíamos um volume enorme de peças, que eram vendidas a praticamente todos os atacadistas de São Paulo, incluindo as regiões do Brás e 25 de Março, os maiores centros populares de compra da cidade. Quando vimos, tínhamos empregado cento e quarenta funcionários, sem contar o faturamento, que superava as nossas expectativas. Diante daquele cenário, só havia um problema: as lojas não eram minhas, tampouco a audiência, e não demorou para que a concorrência descobrisse a força daquele mercado.

Dentro de alguns anos, entramos em uma guerra de preços. A clientela começou a pagar pouco e o mercado ficava cada vez mais estreito. Eu sabia que não havia capital de frente suficiente para sustentar uma margem de lucro tão baixa, e que logo perderíamos o fôlego. E a situação só piorava. Para tentar escoar a produção, começamos a vender para lojistas com má reputação nas empresas de crédito, e como já era de se esperar, ficamos sem receber. Logo começamos pegar empréstimos e descontar títulos em bancos, e conforme íamos mergulhando em dívidas com fornecedores e passivos trabalhistas gigantescos, ficava cada vez mais claro que havíamos comprado uma briga muito maior do que conseguíamos encarar.

Nossa falência era certa. De repente, estávamos afundando em um mar de dívidas e inadimplência. Meu sogro, minha sogra, meus cunhados e irmãos chegaram a ser nossos avalistas para empréstimos, e tiveram seus nomes protestados. Caíamos no buraco negro das cobranças, sentindo que seríamos engolidos por ele. Àquela altura, só um milagre poderia nos salvar. E ele aconteceu, mas não como você está imaginando.

Com as forças esgotadas e a vida financeira destruída, só a presença de Deus poderia nos tirar da depressão e ausência total de esperança. Nos agarramos à Palavra e fomos crescendo em fé e conhecimento, tudo poderia estar desmoronando ao nosso redor, mas a certeza de que Ele agora fazia parte das nossas vidas era o que nos dava forças para continuar. Enfim, chegamos à igreja para nos batizar, finalmente o dia que marcaria nossa trajetória chegou. Reunimos a nossa fé e mergulhamos todos os nossos problemas naquelas águas, e quando saímos, foi como se tivéssemos recebido diretamente do céu o seguinte versículo com o qual o pastor nos batizou:

"Mas, como está escrito: As coisas que o olho não viu, e o ouvido não ouviu, e não subiram ao coração do homem, são as que Deus preparou para os que o amam[1]."

Então, o pastor que nos assistia disse, completando a passagem:

– Eu tenho uma palavra de Deus para vocês. Saibam que muitas pessoas serão transformadas através do testemunho de vocês, da sua empresa e de seus funcionários.

Ora, ele só poderia estar brincando. Logo nós, que estávamos ali, envergonhados, falidos e sem a menor credibilidade? Como eu, que me sentia totalmente desacreditado e endividado, poderia me tornar um canal de transformação de vidas? De que maneira nossos funcionários insatisfeitos poderiam nos abençoar e serem abençoados? Eram todas perguntas sem respostas. Confesso que aquilo não fez o menor sentido para mim.

1 - (1 Coríntios 2:9)

Ano após ano, as obrigações e a rotina agitada nos fizeram esquecer daquela promessa. Vinte anos se passaram desde o dia do batismo e o início do cumprimento do compromisso que Deus assumiu conosco naquele dia. Imagino que você esteja se questionando, nesse momento, se, de fato, é preciso tanto tempo para que Ele consiga agir na sua vida. Bem, considerando a minha experiência, a única resposta que posso dar é: depende de você! Moisés levou 40 anos para atravessar o deserto do Sinai com o povo de Israel. A curva de aprendizado e a posse do Reino está em suas mãos. Quanto tempo você vai levar para entender a verdade de Deus? Qual é o tamanho da sua fé? O caminho pode ser longo e incerto, mas, acima de tudo, é preciso acreditar.

O milagre da fé

Às vezes, acabamos fazendo uma série de coisas que as outras pessoas nunca iriam entender. Lembro de um momento em especial que marcou aquele difícil período da minha trajetória. Uma experiência que me fez enxergar que a paz de Deus vai muito além da nossa compreensão.

Os problemas financeiros que nos atingiriam chegaram a tal ponto que não conseguiríamos fazer a próxima folha de pagamento. Então, pensei nas possibilidades que nos restavam. Nosso único bem era uma Pajero Dakar que, anos antes, eu havia negociado com um cliente em troca de mercadorias. Conversamos e resolvemos vender o carro para cumprir aquela obrigação. Era difícil ver o resultado do trabalho de anos escorrer pelos dedos, mas foi uma decisão necessária.

Dias depois daquela conversa, tive uma experiência única com Deus. Ele falou em meu coração, de uma forma nítida e direta, que eu precisava aprender a confiar. E disse mais: queria que eu doasse o carro para ajudar outras pessoas. Fiquei em choque. Como eu poderia explicar uma coisa dessas para a Fernanda? E quanto à folha de pagamento? O que diriam todos da minha família? Mas, em meio àquela confusão de pensamentos, uma palavra persistia: CONFIAR.

As viagens eram frequentes em nossa vida profissional. Em uma das noites em que fazíamos o caminho de volta para casa, vindos de São Paulo, senti novamente o coração inquieto por aquele pensamento, e resolvi me abrir com a Fê:

– Preciso falar com você. Estou com um sentimento no meu coração há alguns meses e preciso muito compartilhar. É o seguinte: Deus falou comigo. Ele quer que eu aprenda a confiar nele e me pediu para doar o carro.

E, para a minha surpresa, ela respondeu:

– Se Deus está falando, quem sou eu para dizer não! Bora fazer!

E assim, assinei o recibo e entregamos a Deus tudo o que havia sobrado do nosso esforço. Ficamos com um Chevette velho, e mais nada.

Posso afirmar que foi uma experiência de total desprendimento ao que é material. E o mais impressionante é que estávamos felizes, principalmente porque sabíamos que tínhamos feito a coisa certa. O dinheiro foi aplicado em uma nova igreja e, no dia da inauguração, a alegria que sentimos em ver tantas pessoas sendo abençoadas não pôde ser descrita em palavras.

Quando estamos vivendo um grande problema, é comum pensar somente em sair daquela situação, sem se dar conta de que tudo é aprendizado. No nosso caso, ir à falência foi uma oportunidade única de rever nossos erros e acertos. Meses depois de ter feito a doação, eu ainda lutei com a minha razão, que insistia em me condenar por aquele ato "irresponsável". Já dizia a Palavra: "porque a carne milita contra o Espírito, e o Espírito contra a carne[2]".

Você deve estar se perguntando: "e quanto à folha de pagamento e as dívidas?" Bem, todos os problemas continuavam lá,

2 - (Gálatas 5:17)

aguardando resolução. Com o tempo, parcelamos as dívidas e colhemos exatamente tudo o que plantamos. Porque confiar em Deus não nos poupa do aprendizado e das consequências dos nossos atos.

Existe uma ideia enganosa de que Deus responde a partir do que você dá a Ele financeiramente. Há quem acredite que uma oferta ou dízimo vai fazer com que, como num passe de mágica, as dívidas desapareçam! Acontece que Deus não aceita barganha! Ele não é um banco no qual você investe o seu dinheiro e, depois, recolhe os dividendos do que investiu. Na verdade, tudo já é seu! Basta que você se movimente em direção ao aprendizado, na busca pela sabedoria, e entenda que tudo acontece a seu tempo. Ora, qual é o pai que não quer o melhor para o seu filho?

Demorei para descobrir uma verdade: Deus não precisa de você. Ele quer se relacionar com você, andar ao seu lado e compartilhar o plano divino que Ele preparou. Ele não deseja controlar o ser humano, ao contrário, nos dá o livre-arbítrio e a chance de salvação por meio da morte e ressurreição de Jesus Cristo. O caminho rumo ao Reino já está traçado. Cabe a você tomar posse dele como filho, não como escravo. Portanto, viva, aprenda, transforme esse aprendizado em sabedoria e coloque em prática os seus conhecimentos.

Em minha busca por um entendimento sobre a minha missão nesse mundo, pude compreender que o que Deus tinha para mim era muito maior do que qualquer coisa que pudesse ser comprada. Ele me daria as sementes e uma visão de futuro que as pessoas ainda não conseguiam enxergar. E a partir dessa visão, eu daria frutos e os multiplicaria sobre a minha casa, as pessoas que trabalham comigo e os meus futuros alunos. Era tudo parte da promessa feita há vinte anos.

Deus nunca nos abandona. Mais do que isso: quando estamos em dificuldade, Ele levanta aqueles que irão guerrear ao nosso lado. No nosso caso, Ele preparou algumas pessoas especiais para esta missão: a Rosângela, que há 19 anos cuida do nosso departamento financeiro, e a Cristiane, que trabalhou na fabricação e no estoque das peças e, depois, deu um grande apoio despachando pedidos no início da loja on-line e até hoje atua nas compras para o e-commerce. Além do setor de compras, ela se tornou nossa sócia em parte da fabricação. Como não lembrar, ainda, da Nathália, que faz parte do nosso projeto de ensino, onde instruíamos empresários a entrar no mercado on-line através de curso e mentorias. Muitos outros colaboradores tiveram um papel importante na minha jornada empreendedora, e sou muito grato a todos eles. A verdade é que ninguém constrói nada sozinho, e sem esse pessoal, eu não estaria contando esta história.

Hoje, pensando sobre tudo isso, entendo que o Eliedson que recebeu aquela promessa não é o mesmo Eliedson que tomou posse dela, anos mais tarde. Porque o homem que recebeu aquela promessa confiava demasiadamente na força de seu próprio braço, mas a verdadeira força vem de Deus. Aquele homem havia se tornado um empreendedor experiente no ramo corporativo, mas a sabedoria para a construção do caminho do bem é dada pelo Divino Mestre. E se alguma coisa aprendi com tantas experiências difíceis, é que d'Ele vem a solução para as minhas lutas e a conquista das minhas vitórias.

CAPÍTULO 05

AVENTURAS NA CHINA

“A resiliência vai levar você mais longe do que a motivação jamais poderia te levar”

ELIEDSON JARDIM

Meu espírito inovador me dizia que aquele era o momento certo de desbravar as terras desconhecidas da importação. Na época em que tocávamos a confecção, comecei a importar peças de lingerie sem costura, já que, até então havia poucas empresas comercializando esse produto no Brasil. Além do que as máquinas que produzem estas peças tubulares sem costura até hoje são caras e de produção especializada.

Foi então que meu olhar vislumbrou a China, um dos mais importantes parceiros comerciais do Brasil quando o assunto é volume de vendas. Com o dólar em queda, o maior país da Ásia Oriental estava com sede de negociar com o mundo, e era preciso aproveitar aquela oportunidade.

Você deve estar se perguntando: "ele tinha condição de fazer isso em meio a tantos problemas financeiros?" Aí vai: nunca olhei para a minha condição. Buscava dinheiro nos bancos, fazia o que fosse preciso para trazer à realidade os meus planos. Isso muitas vezes me custou caro! Paguei um preço alto, foram noites sem dormir, mas não me arrependo de ter feito! O poder de execução nos faz crescer e gera aprendizado que levamos para a vida! Pessoas que olham só para sua condição nunca vão experimentar o extraordinário!

Quando eu pensava em importação de produtos, pensava no Antônio Carlos, o Cacá, como era conhecido dos mais íntimos, um amigo de infância que sempre trabalhou com comércio exterior em grandes corporações. E se havia alguém nesse mundo que tinha todo o *know how* de importação e com quem eu podia contar para encarar os fornecedores chineses comigo, esse alguém era ele. Eu sabia que Cacá nunca tinha feito negociações para pequenas empresas, mas sentia que ele toparia o desafio. E ele topou.

Naquela nossa empreitada rumo à terra dos negócios, não havia lugar para medo ou intimidação. É preciso reforçar que, no ano de 2007, o mundo não era "conectado" como hoje. Acesso à internet? Só no hotel e outros raros lugares. Foi trabalhoso, mas fizemos uma boa pesquisa em sites que apresentavam fornecedores de diversos segmentos, e com algumas poucas roupas, uns e-mails de fornecedores anotados e uma boa dose de *feeling* para negociação, arrumamos as malas e partimos rumo a uma das mais importantes feiras de negócios da China, a *Canton Fair*. O evento acontecia duas vezes por ano e nos dava a chance de estar frente a frente para negociar com empresários dos mais variados setores.

Finalmente, havia chegado a hora de tirar os planos do papel. Nossa primeira viagem durou 21 dias em uma busca incessante por fornecedores e contatos. Era um mundo novo que se abria diante de nós, e o olhar experiente do Cacá, tanto na teoria como na prática, me ajudou a melhorar a minha percepção sobre esse mercado concorrido. Comecei a observar quais são os critérios para seleção de fornecedores, como funciona o processo burocrático para documentação, tributos, precificação, competitividade, licença de importação, entre muitos outros detalhes que mudaram de forma brutal o meu entendimento sobre como me tornar um importador de produtos chineses.

A partir daí, comecei a me sentir realmente preparado para explorar esse nicho de mercado. Durante quatro anos, investimos pesado na importação de variados produtos que chegavam em containers vindos por meio aéreo ou atravessando o Oceano Pacífico. E com esses produtos, chegou também uma nova leva de dificuldades. Enfrentávamos um período de transição entre a confecção de lingeries com modelo de vendas por representante e o comércio on-line. O mercado em que eu atuava começou a ficar saturado de mercadorias vindas do Paraguai, sem declaração de imposto e qualidade duvidosa. Além disso, importar produtos demandava capital de frente para as peças serem produzidas. Todos esses desafios fizeram com que o carro-chefe, que eram as cuecas de microfibra sem costura, sofresse forte concorrência, entrando em declínio.

Algo me dizia que era o momento de diversificar. Precisávamos agir, então, decidimos fazer novas viagens à China. A cada ano, desembarcávamos no país para ficar um mês, e lá desenvolvíamos tudo, desde as embalagens dos produtos até tags personalizados. E ao mesmo tempo, tínhamos a chance de ficar familiarizados com costumes tão ricos e diferentes.

Um dos pontos altos dessa experiência foi perceber que a resiliência do povo chinês havia derrubado as barreiras que impediam a expansão do nosso pensamento empreendedor. Diferentemente de nós, brasileiros, que temos a péssima mania de colocar empecilhos em tudo, para os chineses, quando se trata de negócios, a palavra "não" é quase inexistente. São pessoas realmente flexíveis, que fazem dar certo. Além disso, para os chineses, na época, primeiro existia uma interação social. Eles queriam saber com quem estavam lidando, queriam conhecer os parceiros comerciais enquanto pessoas, para, só depois, darem início às negociações. Nos dias de hoje essa peculiaridade da cultura não é mais tão considerada quanto nos primeiros anos de abertura do comércio chinês. As vedas on-line por atacado fizeram essa parte dos relacionamentos ser deixada de lado. Posso afirmar que eles forçaram os nossos limites e transformaram o nosso pensamento sobre o que é possível. Hoje, percebo que foram dias de aprendizado em todos os sentidos – profissional e cultural.

Um muro enorme chamado idioma

Como esquecer das situações embaraçosas e engraçadas? Em uma daquelas viagens, saímos de uma fábrica em direção a outra para uma reunião. O motorista não falava inglês e nós não falávamos mandarim, então, você pode imaginar o tamanho do nosso problema de comunicação. Era quase como se estivéssemos andando no escuro. Tudo o que sabíamos era o endereço do lugar e que a intérprete que contratamos para agenciar os negócios já tinha passado as orientações ao motorista. Com tudo resolvido – pelo menos, era o que achávamos – entramos no carro preparados para três longas horas de viagem.

No caminho, começamos a ficar angustiados, com a nítida impressão de que aquele motorista chinês estava dirigindo devagar demais. Daquele jeito, concluir o trajeto iria demorar uma eternidade, e com a programação do dia apertada por conta de outra reunião, tudo o que queríamos era fazer aquele cara entender que precisava pisar fundo e que cada minuto era precioso para nós. Foi quando nos lembramos de que havia um muro gigantesco que nos separava chamado idioma. O jeito foi gastar nossos últimos créditos no celular, ligar para a intérprete e torcer para que ela atendesse e conseguisse dizer a ele que estávamos prestes a perder a reunião.

Era inacreditável. Após falar com a intérprete, o motorista não somente não acelerou o carro, mas, ao passar pelo pedágio, parou no meio da rodovia. Arriscamos algumas expressões e gestos de mímica para tentar dizer a ele que precisávamos correr e, para a nossa perplexidade, o homem soltou uma gargalhada. Isso mesmo, uma gargalhada! E ali continuou, parado, olhando e rindo dos nossos rostos pasmos e confusos, e na mais transparente tranquilidade, abriu o vidro do carro e acendeu um cigarro. E assim, quarenta minutos se passaram até percebermos que o motorista estava aguardando o dono da empresa. Na verdade, ele já tinha sido avisado e estava vindo nos buscar.

Hoje, penso em como foi difícil se sentir tão frágil em terras desconhecidas. Afinal, aqueles eram tempos em que não havia tantos estrangeiros no país. Fosse como fosse, éramos pioneiros, diferentes, quase que alienígenas em meio a um povo tão distinto. Mas tínhamos o indispensável: coragem para arriscar e humildade para aprender e mudar a rota quando necessário. A partir de então, foi uma importação atrás da outra – uma das cargas foi usada como *start* para o e-commerce. E o mais legal de tudo isso foi ver que outros parceiros também conseguiram progredir. Uma das pessoas que nos atendia em uma das fábricas hoje está retomando o fornecimento, mas com sua própria empresa. Para nós, é uma grande satisfação acompanhar esse progresso.

As coisas nunca saem exatamente como planejamos, mas, como já diziam os antigos, temos que dançar conforme a música. Vendo por esse lado, posso dizer que, na dança da vida, continuamos com movimentos firmes e em ritmo constante, sem desistir quando erramos o passo. Continuamos indo à luta, e nosso próximo desafio é abrir um centro de distribuição exclusivo para novas cargas vindas da China. Sim, estamos à frente de mais um empreendimento, mas, dessa vez, seguimos com a certeza de que Deus faz dos aparentes fracassos a matéria-prima para o nosso desenvolvimento, desde que nos coloquemos debaixo de seus propósitos.

CAPÍTULO 06

JESUS NÃO TEM RELIGIÃO

"O grande desafio do perdão é desistir da ofensa do outro como direito nosso contra ele! Quem perdoa não perde a memória, mas desiste do direito de acusar ou de reter a memória com raiva ou crédito. Por isso o perdão é um ato de fé e não de emoção."

CAIO FÁBIO D'ARAÚJO FILHO

Minha caminhada cristã, assim como a de muitas pessoas, começou pela dor. Eu e Fernanda estávamos no auge da nossa crise financeira e, também, no casamento. Fernanda tinha se envolvido com outro homem, e eu com outra mulher. Estávamos em um relacionamento cheio de mentiras e traição. Apenas quatro anos se passaram do período do acidente, e havíamos criado um vale entre nós dois. Diante da descoberta das traições, em um momento de lucidez, olhamos um para o outro de verdade, vimos que não fazia sentido, queríamos recomeçar, ainda nos amávamos. Apesar de sermos muito jovens – na época, ela com 21 anos e eu com 22 – a vida já havia nos apresentado muitas lutas, sabíamos que o caminho ainda seria longo, mas naquele momento sentíamos nosso espírito clamar por algo.

Foi a partir de uma oração simples feita com a Bíblia há muito tempo esquecida no armário da sala que a nossa busca começou. Quando voltamos de Campinas, após a recuperação de um mês do acidente, meu primo cristão me deu esta Bíblia de presente, em um churrasco de comemoração que minha família fez para o meu retorno. Achei muito legal da parte dele, fizeram uma oração de ação de graças pela minha vida, mas o fato é que não sabia como usá-la. Era algo sagrado que deveria ser guardado. Um símbolo de fé. Abrimos esta Bíblia sem saber o que estávamos fazendo, nem mesmo se tudo aquilo iria fazer alguma diferença. Eu apenas sentia, do fundo do meu coração, que era o certo a fazer. E, além do mais, era a única coisa que faltava tentar.

Foi um período intenso de novas descobertas e deslumbramento. De repente, foi como se nossos olhos, cegos até aquele momento, enxergassem novamente. Entendemos que existe um Deus vivo, que o caminho era Jesus e por Ele teríamos acesso a Deus novamente.

Dali em diante, nossa sede pelo conhecimento e pela sabedoria só cresciam. Como não existia a facilidade de fazer buscas rápidas pelo Google, o jeito era procurar respostas cara a cara, nas experiências e no saber daqueles que conheciam sobre o assunto.

Passávamos horas na casa da minha irmã e meu cunhado cristãos, perguntando tudo o que fosse possível sobre Deus. Ainda não aceitávamos a Verdade naquele momento, meu coração queria saber mais, como se estivéssemos em um filme de investigação, questionava tudo! Ficamos assim por dias, semanas.

Depois de muitos questionamentos, resolvemos assistir a um culto de domingo. Eu nunca tinha visitado uma igreja evangélica, muito embora já fosse adulto, então, todo aquele ritual era muito novo. Mas, para a minha surpresa, naquela mesma noite, eu e a Fê sentimos que era o momento de reconhecer o plano de Deus em nossas vidas. Reconhecemos que Jesus era a verdade, que ele era o caminho vivo para chegar a Deus. A partir daí, nossa vivência na igreja passou a ser intensa. Dizíamos "sim" para tudo o que nos era apresentado: encontros, cursos e o que mais aparecesse que pudéssemos aprender de Deus.

Tive muitas experiências com Ele nesta época. Passamos pelo auge do avivamento trazido pelo "Encontro com Deus", um encontro feito por praticamente todas as denominações cristãs da época, com uma unidade de ação e linguagem nunca vistas antes pelas igrejas do Brasil, ao mesmo tempo que socialmente ser evangélico era motivo de piadas. Brincamos, eu e a Fê que somos da época que se assumir cristão era assumir para o mundo que era louco.

Apesar da alegria de estar vivendo um tempo de intimidade com Deus, havia um outro lado. Não tinha como negar: com o crescimento desenfreado do negócio, enfiamos os pés pelas mãos e, agora, estava difícil encarar um declínio tão rápido e uma dívida gigantesca. Dívidas com banco e fornecedores, e pior, tendo a família da minha esposa como avalista! Foram muitas noites sem dormir!

E mesmo em meio a tudo isso, sentia Deus comigo, renovando minhas energias e me dando força para lutar! Em uma das muitas viagens que fazia a São Paulo para vender e receber mercadorias, na volta, já bem tarde da noite, Deus falou ao meu coração. "Faz uma oferta do seu carro!" Assim, de forma direta e reta. Na época tinha uma Pajero Dakar. Fiquei atordoado! Pensava: "como vou fazer, é meu único patrimônio, tudo mais já tinha ido por conta das dívidas que eu havia feito". Estava pensando que vender o carro me ajudaria a fazer a próxima folha de pagamento. E pior, naquela época ainda acreditava que eu era vítima de clientes inadimplentes. Não enxergava que o que eu estava vivendo era totalmente responsabilidade minha.

Foi então que decidi. Falei com Fernanda e juntos fomos doar o carro! Foi uma experiência muito incrível! A verdadeira sensação de ter feito a coisa certa, o prazer de obedecer por amor!

Doar o carro foi uma atitude despretensiosa, daquelas que a gente faz sem esperar nada em troca. Imagino que você deva estar se perguntando: "Então, a partir daí, Deus abriu as janelas dos céus e vocês começaram a enriquecer, certo?". Nada disso. Continuou dando tudo errado como planejado, ou melhor, como plantado! Este é um dos vários enganos que as igrejas (religião) fazem parecer palpáveis e que frustra muitos cristãos até hoje! Sempre teremos a liberdade de plantar o que quisermos, mas nunca poderemos nos livrar do que iremos colher! Nunca será sua oferta ou dízimo que irá tirar você da consequência de decisões erradas. E assim seguimos nossa caminhada. Não foi fácil passar por toda esta colheita de muitos fracassos, foi um remédio difícil de tomar, mas que me transformou na pessoa que sou hoje.

Tirando a venda dos olhos

Apesar de todo radicalismo e enganos sutilmente ensinados nas igrejas, ali aprendi muitos princípios e verdades sobre Deus.

Só que, ao mesmo tempo junto, no mesmo pacote vinha também muitas regras dos homens e muito julgamento. E isso tudo me trazia muita confusão, ao mesmo tempo que via a verdade, via o engano e o aprisionamento. Algo parecia não se encaixar.

Hoje quando olho para trás, tudo me parece imaturo e infantil, e era. Só que, na maioria das vezes, quando estamos passando por algo que não temos o entendimento, temos a tendência de preferir culpar o outro pelas consequências, e comigo não foi diferente.

Resolvi colocar esta experiência no livro porque sei que talvez, você que está lendo isso neste exato momento se sinta preso em uma religião, acreditando que Deus está naquele lugar, e se você não estiver lá dentro, estará em rebeldia. Talvez esteja se acusando agora mesmo por não acreditar mais na forma como tudo acontece, e fica lá dentro por crer que esta é a vontade de Deus para sua vida. PRECISO TE CONTAR UMA BOA NOVA, isso não é verdade!

Passei por muitas decepções, exatamente porque esperava demais das pessoas. Confundi Deus com religião, e me afastei por completo da igreja depois de seis anos. Pessoas me roubaram em negócios que fiz com irmãos de dentro da igreja, acreditava que como um juiz, o pastor tinha que fazer alguma coisa, e por fim, acreditei estar vivendo uma mentira. Se Deus estava naquela mentira, eu não queria mais fazer parte daquilo.

Como acreditava que ao sair da igreja estava rejeitando tudo, e que seria um rebelde, virei as costas e fui viver minha vida por mim mesmo.

Mas as promessas de Deus ficaram me esperando. Esqueci delas por dezoito anos. Fiz novos amigos, abandonei tudo que havia vivido até ali. Tinha a sensação de que aquilo tudo tinha sido um engano, debrucei sobre minha vida e meus problemas e desisti de Deus. Mesmo em tempos difíceis, não pedia ajuda, mas hoje olhando para trás posso ver o cuidado d'Ele em cada coisa que vivi, e o amor d'Ele, que não depende e jamais dependeu do que eu tenha feito. Em cada detalhe, ele estava comigo.

Depois de toda a vivência ruim, pela falta de sabedoria, ficaram os bloqueios mentais. Tudo que viesse de qualquer igreja eu simplesmente ignorava. Não permitia que ninguém tocasse mais neste assunto, e ainda que no fundo da minha alma eu soubesse a verdade, acreditava que não era para mim. Sentia um misto de decepção com desprezo por tudo que me lembrasse religiosidade.

Hoje, depois de tudo que aprendi e coloquei em prática nos últimos dois anos, nada disso me incomoda. Tudo parece muito pequeno, ficou para trás, porque o verdadeiro entendimento a respeito da nova aliança com Jesus nos faz compreender que a profundidade é bem maior, o plano é de transformação pelo espírito que habita em nós. Aprendi a olhar para o outro com olhos diferentes, com empatia e misericórdia. Hoje sei que estas pessoas estavam fazendo apenas o que eles acreditam ser certo, isso é libertador, muda seu mapa mental.

CAPÍTULO 07

O RESET DE 11 DE JANEIRO

“A vida me ensinou a nunca desistir, nem ganhar nem perder, mas procurar evoluir. Podem me tirar tudo o que tenho, só não podem me tirar as coisas boas que já fiz pra quem eu amo.”

CHARLIE BROWN JR.

Era mais um daqueles dias quentes típicos de verão em Nova Friburgo. Tinha chovido muito durante toda aquela semana, mas, sinceramente, não estranhei. Tendo nascido e crescido naquele município carioca, eu sabia que os temporais eram comuns naquela época do ano. Nova Friburgo está localizada na região serrana do Estado do Rio de Janeiro, a 136 km da capital e muito acima do nível do mar – mais precisamente a 846 metros de altitude, característica que faz com que seja um lugar frio e seco no inverno, e quente e úmido no verão. Não se pode negar que as praias são o grande atrativo do Rio de Janeiro. Logo, muita gente desconhece os vales que cercam o Estado, mas naquele dia onze de janeiro de 2011, dentro de poucas horas, o país inteiro teria notícias dessa região serrana.

Após as festas de fim de ano, geralmente, as confecções desaceleram a produção e programam férias coletivas para os funcionários. As vendas são praticamente nulas, já que todos estão com a cabeça nas férias e, claro, nas praias. O final daquele ano não tinha dado o resultado esperado em vendas, sem contar o duro golpe que sofremos no ano anterior, quando uma funcionária desviou uma quantidade considerável de mercadorias. Nossa confecção havia diminuído e tentávamos a todo custo nos refazer de todos esses abalos financeiros, entre tantos outros que já havíamos enfrentado até então.

Sem muitos recursos, eu, a Fê e a Carol estávamos em casa. Na TV, começava o programa Big Brother Brasil. Carol estava conosco enquanto Luiza, nossa segunda filha, estava de férias com as amigas na praia, na casa dos avós. Ao menos ela, que era criança, podia curtir um pouco. Já fazia uma semana que estava chovendo ininterruptamente, mas, naquela noite, algo estava diferente. Desde cedo, o céu estava desabando quase sem trégua. Passava das 22h quando a varanda e a área de serviço do meu apartamento começaram a alagar. Não teve outro jeito senão correr com rodo e panos para tentar impedir que a água invadisse a sala.

Nosso apartamento ficava de frente para o rio Bengalas – que corta todo o centro da cidade. Com a chuva, o rio transbordou e as águas começaram a invadir as duas margens da avenida. Foi naquele momento que começamos a entrar em estado de alerta, afinal, seis anos antes, já havíamos sofrido o trauma de perder boa parte do nosso estoque de mercadorias. Felizmente, o novo depósito estava fora de risco, mas as farmácias do meu sogro, todas localizadas na parte baixa da cidade, nos deixaram apreensivos.

Tudo aconteceu com uma rapidez absurda. Em questão de minutos, a enchente simplesmente havia tomado conta das ruas, transformando a cidade em um enorme rio, cuja força descomunal foi levando tudo o que pôde. De enormes troncos e galhos de árvores a carros com os alarmes acionados, tudo boiava sem controle. Era difícil de acreditar: havia lama pra todo lado e inúmeras pessoas gritavam por socorro. Um vigia que trabalhava em um posto de frente para o nosso apartamento ficou ilhado. Para não ser arrastado pela correnteza, precisou quebrar o vidro da loja de conveniência e tentar se equilibrar nas estantes de produtos. Nos prédios que ficavam no outro lado da avenida, dava para ver os carros boiando nas garagens, retorcidos pela força das águas. Ilhados no apartamento, perdemos as contas de quantas vezes tentamos ligar para os bombeiros sem sucesso, já que, àquela altura, já havia tantas ocorrências na cidade que o pessoal do resgate já não estava dando conta de atender mais chamados. E o pior: aquele era só o começo da maior e mais traumática tragédia climática já registrada no Brasil.

Já era tarde da noite, mas nosso sono estava longe de chegar. E por mais inacreditável que pudesse parecer, a chuva ficava cada vez mais intensa. A energia elétrica já tinha acabado, então, ficamos no escuro. Por volta das 2h da manhã, escutamos um forte estrondo seguido de uma sequência de trovões e fortes estalos, como se galhos estivessem se quebrando. Então, houve um breve silêncio e, logo em seguida, muitos gritos de socorro e desespero começaram a surgir daquela escuridão.

Sem pensar duas vezes, peguei uma lanterna e desci as escadas correndo. No caminho, percebi que vários vizinhos faziam o mesmo. Naquele momento, ninguém sabia ao certo a dimensão do que estava acontecendo. Quando chegamos à rua, tudo o que conseguimos ver com as fracas luzes da lanterna foi muita, muita lama. E gritos. Em um impulso, partimos lama adentro para ajudar e, por sorte, conseguimos retirar alguns sobreviventes que haviam sido arrastados, mas, para muitos era tarde demais. Nunca vou me esquecer de uma mulher que gritava inconsolavelmente por seu filho de seis anos que descansava em seu colo quando o deslizamento o soterrou.

Eu ainda tentava entender o que estava vivendo quando o barulho de galhos se quebrando recomeçou. O instinto de sobrevivência e o medo fizeram com que subíssemos as escadas do prédio com uma rapidez inexplicável, e não sem razão, afinal, a sensação de não saber de onde estava vindo a terra era algo apavorante. Um novo deslizamento avançava, mas, dessa vez, quando acabou, seguiu-se um silêncio absoluto. Naquele instante, soubemos que nada mais poderia ser feito.

Quando amanheceu, o rio recuou um pouco, expondo as ruas terrivelmente cobertas de lama e sujeira. Usei o pouco sinal que tinha no meu celular para falar com meu sogro e minha sogra, que ainda estavam na praia, em uma cidade próxima, e acompanhavam as notícias que já pipocavam em rede nacional, dando os primeiros sinais de tamanha tragédia.

Lembro-me de que tentava acalmar a minha sogra quando outra parte das encostas ruiu diante dos meus olhos. Da varanda do apartamento, pude ver dezenas de casas sendo engolidas em frações de segundo, e tudo o que consegui fazer foi gritar "está caindo, está caindo!". Logo, resolvemos sair pela cidade para ver o que tinha acontecido. Assim que colocamos os pés na rua, foi como se estivéssemos no próprio inferno. Parecia que várias bombas tinham sido arremessadas na cidade. No centro, a força do deslizamento tinha partido um prédio ao meio. Um caminhão do corpo de bombeiros que prestava socorro também havia sido soterrado.

Em uma questão de horas, a situação ficou insustentável. A energia elétrica só seria restabelecida dali a alguns dias, e para piorar, todas as entradas para a cidade tinham sido bloqueadas ou por pedras gigantes ou por barrancos formados pela lama. Uma dessas pedras rolou para cima de um hospital, levando o gerador e os cilindros de oxigênio, fato que acarretou a morte de muitos dos que estavam internados e dependiam dos equipamentos. A população sofria pela falta de combustível e remédios, além de itens básicos e comida, que também começaram a faltar, fazendo com que o comércio em geral funcionasse a meias-portas, com medo de saques.

Estávamos vivendo, praticamente, um dia de cada vez. A água da cisterna do nosso prédio ficou contaminada, então, foi preciso mudar para a casa da minha cunhada. A água que usávamos era a da piscina do condomínio. Quando a noite chegava, alguns vizinhos se juntavam na área comum do condomínio para falar sobre aquela situação surreal. Era uma maneira de buscar apoio em meio ao caos. Em uma dessas conversas, um deles nos confessou que, mesmo enquanto médico legista, nunca tinha visto tantos corpos dilacerados de uma vez, e que, para suportar tamanha desgraça, seguia para a escola municipal do centro da cidade – a qual havia se transformado em um necrotério – trazendo uma garrafa de uísque.

Felizmente, tínhamos condições de arregaçar as mangas e fazer tudo o que fosse possível para ajudar. Limpamos fábricas de amigos, prestamos auxílio a parentes de funcionários que sofriam pela morte de entes queridos, e com a ajuda de alguns fornecedores de São Paulo, levamos cestas básicas para as áreas mais duramente afetadas, enfim, estendemos as mãos no que estava ao nosso alcance. No entanto, demorou para que conseguíssemos fazer algo pela nossa empresa, já que nosso galpão ficava muito próximo a uma das áreas que tinha sido praticamente varrida do mapa. Todas as ruas estavam interditadas por terra ou escombros, de modo que demoramos 12 dias para ter acesso a ele.

Quando finalmente abrimos a porta, experimentamos um misto de alívio e desespero. A área inteira do piso era só lama seca, resultado da água das chuvas que havia retornado pelo ralo e ali ficaram por muitos dias. Todas as máquinas estavam lá, o prédio permanecia de pé e nada tinha sido levado, o que, considerando as circunstâncias, era motivo de comemoração. Mas os produtos – tanto os que estavam em processo de produção quanto os estocados – tinham sido cobertos pelo pó da lama que tinha secado e impregnava o ar de toda a cidade. Quando vimos, toda a mercadoria que estava na transportadora e seguiria para outras cidades havia sido levada pela enchente. Era fato: mais uma vez, estávamos sem saída.

Mas, pensando melhor, nossos problemas ficaram pequenos diante do imenso cenário desolador que nos rodeava. Áreas inteiras e fazendas desapareceram, o curso dos rios foi alterado. Em uma única noite, famílias inteiras perderam a vida ou tiveram seus sonhos soterrados pela força da natureza. A catástrofe deixou, em números oficiais, um saldo de 100 desaparecidos, 918 mortos e 30 mil desabrigados. Como muitas pessoas foram atingidas em áreas remotas, estima-se que cerca de 10 mil tenham morrido ou desaparecido sem registro. E no meio de toda aquela desgraça, de repente, entendemos o quanto é importante estarmos gratos pela vida. Apesar das muitas cenas de horror registradas em nossas mentes, foi com esse sentimento que recolhemos o que sobrou dos nossos sonhos e partimos. Era hora de seguir em frente.

Quando ficamos diante de uma calamidade dessa magnitude é que verdadeiramente colocamos os valores no lugar!

Na vida muitas vezes nos ocupamos com o cotidiano, com o urgente, com os desafios, angustiados como quem realmente acha que está no controle de todas as coisas. Confundimos nosso poder de escolher com poder de Deus.

Não vivemos o presente, que o próprio nome sugere, vivemos todos os dias o futuro. E assim a vida vai passando, e de repente seus filhos crescem, sua vida muda e de alguma forma não vivemos o hoje. O que era rotineiro e repetitivo acontece pela última vez. A última brincadeira com seus filhos, a última viagem em família, o último dia de aula. O último Dia dos Pais na escola.

Fica a reflexão. Com certeza existiram momentos marcantes em sua vida, caro leitor. Talvez em sua infância, a última vez que brincou com amigos na rua. Ou, a última vez que seu filho coube no seu colo.

Vários momentos da sua vida foram feitos pela última vez, e você nem se deu conta de que aquela era a última. Só sabemos que, do dia para a noite, ou porque seus pais se foram ou porque você cresceu, ou porque seus filhos cresceram, aquela foi a última vez.

Te convido a exercitar o presente e absorver cada minuto.

"Portanto, não vos preocupeis com o dia de amanhã, pois o amanhã trará suas próprias preocupações. É suficiente o mal que cada dia traz em si mesmo[3]."

3 - (Mateus 6:34)

CAPÍTULO 08

A GRANDE VIRADA

“Não tente ser o melhor, seja o primeiro!”

JACK MA

Sabe quando chegamos a um ponto na vida em que não há mais por onde afundar? Eu tinha chegado ao fundo do poço, e ainda uns vinte metros além. Não havia mais nada a perder, mas, curiosamente, é nessa hora que o sentimento de derrota se mistura a uma incrível sensação de LIBERDADE! Afinal, diante de um cenário onde tudo está em ruínas, qualquer coisa que você fizer vai ser lucro, não é mesmo? Ao menos, era muito bom saber que eu não estava sozinho nessa jornada.

Mesmo sem saber qual caminho seguir, de uma coisa eu tinha certeza: aquele negócio estava inviável. Eu precisava encarar o fato de que o modelo de vendas por representante estava ultrapassado. Eu havia dado o meu sangue para fazer aquela empresa dar certo, mas era chegada a hora de fechar aquele ciclo. De todos os produtos da confecção, havia sobrado somente um lote da minha última importação da China e algumas mercadorias que sobraram da produção, o bastante para encerrar o contrato dos funcionários responsáveis pela fabricação, e uma sobra modesta para reiniciar um novo negócio. No escritório, sobraram apenas duas funcionárias de administração, e além delas, mais duas pessoas, uma responsável por separar as mercadorias para venda e a copeira para cuidar da limpeza e preparar o café. Logo, restaria apenas um galpão vazio e uma cabeça cheia de sonhos.

A verdade é que quase ninguém acreditava em mim, exceto as nossas duas funcionárias, Rosângela e Cris, a Fê, meu amigo Raoni e, claro, eu mesmo. Aquele era o meu time, o meu apoio. Raoni – um dos meus amigos de longa data cujos interesses em comum incluíam o gosto pela bebida e a curiosidade pelos assuntos tecnológicos – era daqueles caras meio birutas, sabe? Às vezes, penso que éramos como os personagens animados Pinky e o Cérebro, aqueles ratinhos de laboratório que elaboram planos malucos para dominar o mundo. Isso porque foi com ele que me abri pela primeira vez sobre a ideia de montar um negócio de vendas on-line de lingeries, coisa que, em 2011, soava totalmente insano. Mas ele adorou! Acreditou mesmo que aquela maluquice poderia dar certo – e aqui fica a minha dica: junte-se aos loucos que vão acreditar em você! Acredite: cercar-se de pessoas que partilham a mesma energia faz as coisas acontecerem! É claro que isso não o livra do trabalho duro, muito menos do tempo necessário para o plantio e a colheita dos frutos, mas, em compensação, esse tipo de contato fornece a você uma energia inesgotável para trazer à realidade coisas que, até então, só existiam no mundo das ideias.

Em uma de minhas andanças pela capital paulista, notei que um dos clientes tinha montado um sex shop virtual, e o negócio estava prosperando! Muito embora esse assunto fosse um tabu para a maioria das pessoas, achei a ideia excelente, já que venderíamos on-line produtos que as pessoas queriam, mas não se sentiam à vontade em comprar em uma loja física. E de quebra, nossas lingeries poderiam fazer parte do negócio, uma vez que eram produtos correlacionados. Era o plano perfeito!

Com a ideia de negócio na cabeça, o primeiro passo era escolher um nome. Mas tinha de ser algo novo, já que há doze anos o nome "Femminile" estava conosco no mercado de fabricação. O mais curioso é que a ideia partiu de um videoclipe da Beyoncé e Lady Gaga. Em determinado momento, uma chama a outra de "honeybe", e quando a Fê ouviu aquilo, veio o estalo. Como tudo na minha vida, essa ideia não surgiu de maneira glamorosa, na verdade, foi até bem comum. E até hoje, quando alguém, achando que o nome não poderia ser mais perfeito, me pergunta de onde tiramos essa ideia, eu apenas respondo, sorrindo: "O segredo é a alma do negócio".

Quando faltam recursos, devem sobrar ideias e ações. Em outras palavras, temos que fazer o melhor com o que possuímos. E como sempre, no início, não possuíamos quase nada, então, começamos com o que tínhamos à mão: uma plataforma pequena que pertencia a um amigo do Raoni. Começamos a cadastrar os produtos, usamos uma máquina fotográfica digital simples para fotografá-los em manequins de plástico e colocamos a loja no ar. Mesmo com pouca estrutura, aconteceu a primeira venda! Fui pessoalmente separar o primeiro pedido, e o nosso coração se encheu de esperança, pois tínhamos a prova de que era, de fato, possível vender pela internet – e o melhor: para qualquer lugar do Brasil, sem precisar de mais nada!

Tudo começou a caminhar novamente. Graças à ajuda da nossa equipe, que cobrava os clientes de atacado e vendia algumas peças do estoque que havia sobrado na confecção, pudemos dedicar os meses seguintes para tocar o novo negócio. Uma venda aqui, outra ali, íamos descobrindo as deficiências da plataforma e outras falhas nas vendas que exigiram melhor atenção. Foi quando resolvemos visitar uma feira de produtos para sex shop em São Paulo. Ali muitas possibilidades seriam abertas, entre elas, um leque considerável de fornecedores e uma nova plataforma para, de fato, encararmos esta nova empreitada.

Saímos de lá com a certeza de que estávamos no rumo certo. As vendas não estavam fluindo na primeira plataforma, que tinha o custo acessível, porém, era mais simples e nos deu muitos problemas. Sentimos que era hora de avançar, fazer contato com empresas maiores, e assim fechamos contrato! O resultado não foi o que esperávamos, mas o mais interessante é que essa plataforma nos levou ao ponto que precisávamos chegar. Isso porque continuamos a acreditar. Se você espera tudo estar perfeito para fazer as coisas acontecerem, com certeza, ficará pelo caminho.

Uma notícia devastadora

Em um daqueles dias de transição, enquanto a Fê e as crianças passavam alguns dias na praia com os pais dela, fui a São Paulo buscar um carro que havia negociado em troca de parte do que eu ainda tinha em estoque. No trajeto, comecei a me sentir muito desconfortável, uma dor aguda que vinha do abdômen me incomodou o tempo todo. A ideia era nos encontrarmos na praia na volta da viagem, para eu passar o fim de semana com a família. Assim que cheguei, comentei com eles sobre o meu desconforto, e todos me aconselharam a procurar um urologista.

Parecia uma boa ideia, uma vez que eu já estava com planos de fazer uma vasectomia. As meninas já eram quase adolescentes e eu não queria ter mais filhos. Assim que voltamos, marquei uma consulta. Estávamos pagando as prestações de um passeio e seria ótimo poder fazer a vasectomia logo quando voltássemos. Chegado o dia, o médico pediu que eu me deitasse na maca para fazer o exame de rotina, já que eu havia me queixado de dores. Quando terminou, ficamos eu e Fernanda, sentados, aguardando as palavras que se seguiriam. Após se acomodar em sua cadeira, o especialista, em tom calmo, disse:

– Durante o exame de toque, encontrei um nódulo em seu testículo. Pela minha experiência, a textura dele sugere ser um câncer. Você tem algum amigo que consiga encaixar um ultrassom de emergência para confirmar?

A notícia veio como um soco no estômago. Não era justo! Logo agora que fazíamos tantos planos, migrávamos o negócio on-line para outra plataforma, conseguíamos contornar as reviravoltas da vida! Além disso, no caso de confirmação, a cirurgia teria que ser imediata. Aquela área do testículo, por ser muito vascularizada, traria grandes chances ao câncer de se espalhar para os pulmões e o cérebro.

A partir da confirmação do câncer, foi um desafio e tanto gerir as minhas próprias emoções e o desespero que tomou conta da Fernanda e das meninas, que não paravam de chorar. Era como se eu estivesse carregando o peso do mundo nas costas. Apesar do susto inicial, procurei manter o foco e ficar em paz. No meu íntimo eu sentia que Deus tinha algo a mais para mim. Ora, Ele não tinha me livrado da morte naquele grave acidente para me deixar morrer agora! Decidi, então, fazer tudo o que fosse possível para ficar curado. Como sempre, fomos pra cima! Entramos em modo de guerra, tendo em mente que nada, absolutamente nada poderia nos parar.

Fiz a cirurgia na semana seguinte e, pouco tempo depois, já estava viajando ao Rio para dar início às sessões de radioterapia. Planejamos tudo. Às segundas-feiras, íamos a Niterói para ficar em um apartamento dos pais da Fernanda. Todos os dias seguíamos para o tratamento. No caminho de ida, pensávamos em novas estratégias para o negócio, enquanto na volta, procurava ficar quieto, já que passava muito mal após as sessões. Com aquela rotina, tornou-se comum a Fernanda fazer cadastros no computador da sala enquanto eu vomitava no banheiro.

Em uma das saídas do hospital, fui a uma reunião com um representante para negociar um lote de produtos. Afinal, o e-commerce ainda não passava de uma promessa, então, para pagar as contas, precisava vender tudo o que tinha por atacado. Posso afirmar que tive a pior reunião da minha vida. Extremamente debilitado pelo tratamento, só conseguia pensar em vomitar. O pior foi não conseguir fechar negócio, mesmo depois de tanto esforço. Aquilo ficou gravado na minha mente e, de certa maneira, acabou contribuindo para me deixar mais forte. Aprendi que a chave para se chegar a algum lugar é decidir que você não quer mais estar onde está. Ter esse foco no coração nem sempre vai levar você a lugares que vão lhe proporcionar o resultado esperado, mas vão dar algo muito melhor: perseverança, sangue nos olhos e muita garra para vencer! O título deste capítulo pode não fazer tanto sentido àqueles que vivem de condições, mas àqueles que já entenderam que é a decisão que muda o jogo, estas palavras se encaixam perfeitamente.

Foram longos dias de correria, mas, apesar disso, a família sempre veio em primeiro lugar, então, fazíamos questão de voltar para Nova Friburgo nos finais de semana. Dirigir na estrada com um enjoo constante era terrível, mas, para ver nossas filhas, qualquer esforço valia a pena. E assim, o tratamento continuou. Intermináveis exames se estenderam por cinco anos, e a cada resultado do Pet-scan (exame de diagnóstico por imagem) procurando por metástases, vivíamos verdadeiros momentos de apreensão. Até que houve um dia em que pude sorrir novamente. Feliz da vida, fui até o carro com o exame nas mãos, mostrar para a Fê que a nossa esperança estava renovada. Não havia mais metástases. Eu estava curado! Mais uma vez, abria-se diante de nós o caminho para uma vida nova.

CAPÍTULO 09

O CARA ERRADO NA HORA CERTA

> “Imitar o sucesso recente é um jogo que todos sabem jogar, porém ver o próximo grande lance antes de todo o resto é mais valioso. Isso significa estar errado, para a maioria das pessoas, na hora certa.”

TRECHO DO LIVRO HIT MAKERS, DE DERECK THOMPSON

Era um fato: eu conseguia enxergar o futuro, o grande problema, só eu e a minha equipe conseguíamos ver isso. O ano era 2012. O negócio on-line estava rolando há um ano, e eu sabia que aquilo iria virar! Mas havia um grande problema: a credibilidade. Bancos ou fabricantes, qualquer um que soubesse de onde eu havia saído simplesmente não acreditava, ninguém me dava crédito, já que eu havia feito muitos estragos nos meus negócios anteriores. Mas isso não me impediu de continuar. Um por um, fui comprando, pagando e mostrando que eu merecia uma nova chance. Fui conquistando a duras penas o que eu tinha perdido. E aprendi mais uma lição: a confiança e a credibilidade, depois de abaladas, são conquistadas novamente com um passo de cada vez.

Foram 16 meses tentando atingir o ponto de equilíbrio, mas todos os meses fechando no vermelho. Por outro lado, o aprendizado era a minha arma. Naquela época, não havia muitos meios de obter informação, então, tinha que cutucar mesmo. Assistia a palestras no YouTube, ficava até altas horas da noite procurando materiais de especialistas e lendo bastante.

Quando não estava estudando, estava na empresa me dedicando. Não tínhamos hora nem fim de semana. Raoni levava no carro dele mesmo as mercadorias para postar no correio, enquanto fazíamos manualmente o cadastro dos códigos de rastreio na plataforma.

Como não havia fotógrafo específico na época, contratamos um de casamento que produzia alguns catálogos de lingerie na cidade. Não tínhamos dinheiro para trazer modelo de fora, nem contratar maquiador, então a Fê, que já cuidava dessa parte, contratou uma menina da cidade que ela encontrou no Facebook. Ela foi fotografada só da boca para baixo, sem pegar o rosto, apenas passava um batom de cor forte e pronto. Assim, tínhamos a foto de um corpo, mas sem custar caro.

Entramos em uma produção violenta. Fazíamos o que os poucos concorrentes não faziam, que era tirar fotos dos produtos em todas as cores e modelos. Isso fazia uma diferença enorme, já que todos faziam apenas uma foto e sinalizavam as demais cores com bolinhas. E assim, desde o início, fomos diferentes em cada detalhe. Tudo o que podíamos melhorar, colocávamos em produção.

Àquela altura, já tínhamos muitos fornecedores. Um deles era do tipo "fornecedor de oportunidades", ou seja, fabricava o que estava vendendo mais. Certo dia, ele nos ofereceu uma calça legging fitness. A princípio, rejeitamos, mas ele insistiu para pegarmos uma quantidade pequena, só para experimentar. A Fê ficou apreensiva, já que vendíamos lingeries e sex shop. "Onde vamos enfiar isso na loja?", ela perguntava. Mas, mesmo reclamando, fez a foto. Era um lote de 50 peças, e o máximo que poderia acontecer era não vender, e assim colocamos o produto na loja. Mas, para a nossa surpresa, passados três ou quatro dias, o estoque já tinha se esgotado.

O telefone começou a tocar. Eram clientes procurando pelo produto. Não pensamos duas vezes! Abastecemos o estoque com mais duzentas peças, que acabaram em uma semana. E assim, meio que por sorte, mas na hora certa, vimos que havia um novo nicho para vendas: roupas de academia. Aqui fica mais uma dica: esteja sempre aberto a mudar a rota. Faça testes, valide-os, pois quem fica preso a um único plano pode perder oportunidades incríveis.

O ano passou e já estávamos no final de 2012. Era evidente que não tinha mais como a plataforma que nos trouxe até aquele momento nos levar ao próximo nível. Àquela altura, já faturávamos 400K mensais, um volume considerável para uma plataforma ruim. Nossos estoques não batiam. Ficávamos horas, dias e meses conferindo, até descobrir que o problema estava na plataforma. A cada cancelamento de pedido, o sistema devolvia dobrado ao estoque, o que gerava um número infinito de reclamações, falta de produtos, além de outros transtornos. Então, começamos a pesquisar plataformas usadas por grandes lojas.

Chegamos até dois dos nomes mais fortes da época quando o assunto é plataforma virtual: Vtex e Jetcommerce. Tínhamos que ser corajosos, já que a tecnologia era caríssima, mas não havia escolha: era aquilo ou morrer na praia. Eu e Raoni passamos horas negociando, chorando, pedindo descontos e mostrando o nosso potencial, até que chegamos ao ponto de aguardar e analisar qual delas faria a melhor proposta. Precisávamos de uma última resposta delas, sendo que uma pediu para retornar em quinze minutos. Nesse meio-tempo, a Vtex ligou com as condições que precisávamos. Aquela era a Ferrari das plataformas, o nosso alvo, e agora estava ao nosso alcance! Comemoramos muito, Eu, Raoni e Fernanda fumávamos na época, fomos para a varanda do prédio onde funcionava a empresa na época, acendemos um cigarro e pulamos de felicidade. Agora era real, éramos Vtex! O nosso plano de escalar o negócio estava pronto!

Mas a alegria de empreendedor dura pouco, então, viva o máximo de cada conquista. O que nos esperava do outro lado do arco-íris era muito desafio e trabalho. Mas a verdade é que amávamos aquilo. Comemorávamos muito cada vitória, e nos sentíamos mais fortes, afinal, não éramos só loucos, agora éramos loucos com resultados. Este é outro grande segredo de quem realiza: não se importe tanto em chegar lá, pense sempre no próximo passo, na conquista de hoje, pois é o empilhamento dessas conquistas que vai construir o seu destino. Não foque tanto no fim, foque no hoje.

Crescíamos a passos largos. A migração de sistema consumiu muitas horas de vida e noites sem dormir, já que tivemos que lidar com essa mudança sem interromper as vendas. Era como pilotar um avião cheio de passageiros e precisar trocar a turbina em pleno voo. Era loucura. Fizemos duas tentativas. Na terceira, um dos sócios da Vtex veio acompanhar a migração (a Vtex não era tão grande como hoje, então, eles ainda conseguiam fazer esse tipo de coisa). Para conseguir migrar os pedidos, fizemos um mutirão. Quebramos a cabeça para aprender a lidar com o novo sistema de operações e o novo ERP – o cérebro da operação.

Enfim, quatro meses depois daquela comemoração na varanda do prédio, finalmente havíamos "chegado lá". Estávamos decolando novamente, e agora, de fato, ninguém poderia nos parar. Crescemos em uma velocidade absurda, e, claro, os desafios cresciam com as vendas. Precisávamos de mais espaço, então, rapidamente passamos de uma sala para duas, de duas para três, tomamos aquele andar inteiro, depois o de cima, e logo estávamos ocupando até mesmo o sótão.

Para lidar com o capital de giro – um dos grandes desafios de se empreender no Brasil – tomamos uma decisão: financiar o apartamento em construção que ganhamos do meu sogro. Vendemos o carro que tínhamos para terminar este apartamento, era nosso único bem. Mas eu acreditava junto com a Fê. Nossa vontade de crescer era tão grande que adotamos o empreendedorismo como um estilo de vida, sem dias de folga. Passamos a viver para o negócio, e pagamos o preço por isso, já que não dá para crescer sem dedicação.

Foi então que enfiamos na nossa cabeça contratar uma modelo famosa para reforçar a marca. Para isso, queríamos investir, e investir pesado. Contratamos uma modelo famosa, uma influenciadora na época, pois queríamos transformar a Honey Be em um nome conhecido. Os resultados vieram rápido: as vendas dispararam e cada vez mais pessoas passaram a conhecer a empresa. Era chegado o momento pelo qual tanto esperamos:

o princípio da exponencialidade. Na prática, só o hoje era importante, passávamos os dias resolvendo a única coisa que poderíamos fazer para o resultado vir: enfrentar o desafio que se apresentava no hoje!

Era a hora certa, se passássemos do ponto, perderíamos o *timing*! A coragem é o combustível do empreendedor. Escutar sua alma, e não seu cérebro, é a chave para realizar.

Sei que, por muitas vezes, a lógica vai pesar e a dúvida vai querer bater à sua porta. Que este seja um breve momento e que, em seguida, você parta para a ação, dia após dia, fazendo o que precisa ser feito. Sem duvidar, sem questionar, apenas EXECUTE.

CAPÍTULO 10

EU SOU O CARA, SÓ QUE NÃO!

"Uma pessoa humilde é aquela que sabe que não sabe tudo. É aquela que sabe que não é a única que sabe, é aquela que sabe que a outra pessoa sabe o que ela não sabe, é aquela que sabe que ela e a outra pessoa saberão muitas coisas juntas, é aquela que sabe que ela e a outra pessoa nunca saberão tudo o que pode ser sabido."

MARIO SERGIO CORTELLA

No ano de 2015, tínhamos atingido o auge. Tudo estava fluindo à velocidade de um cruzeiro. Nossa empresa já era multimilionária, agora éramos uma marca essencialmente fitness e os tempos de lingerie e sex shop tinham ficado para trás. Mas, mesmo assim, não deixávamos de nos preocupar com os concorrentes que, embora medianos, ainda representavam perigo. Um dos erros de quem empreende é se acomodar, acreditando que é infalível e que nunca mais vai perder. O grande segredo da vida é saber que sempre existem coisas novas e que nunca poderemos saber tudo o que é sabido.

A prosperidade possibilitou comprar uma casa e fazer diversas viagens. Fomos pela primeira vez aos Estados Unidos naquele ano, conhecemos a Califórnia, com direito a esquiar no Lake Tahoe, São Francisco, Los Angeles e Orlando. Tudo estava perfeito, mas, mesmo assim, minha mente não parava de girar e pensar, pensar... que eu tinha que vender naquele lugar também. Cheguei a ser chamado de louco por um amigo que viajava conosco. "Quem vai querer comprar roupas fitness do Brasil?", ele questionou. Mesmo assim, voltei pra casa com aquela ideia em mente.

Procurávamos por uma nova influenciadora para divulgar o nome Honey Be, alguém com um apelo internacional. Foi quando conhecemos uma modelo brasileira do meio fitness, que na época fazia sucesso com esse público, tanto no Brasil quanto com os latinos que moravam no exterior. Como ela morava em Miami, na época, pareceu ser uma ótima oportunidade ter uma modelo que cumprisse o papel. Fechamos negócio e ela veio até Nova Friburgo para uma sessão de fotos. A coleção teve boas vendas, então, resolvemos dar um passo à frente: criar uma coleção com a cara de Miami e fotografar por lá, por que não?

Logo partimos para a organização, que foi um estresse. Acabamos comprando passagens para um período que era temporada de furacões, e eles vieram justamente na semana programada. Resultado: o fotógrafo saiu de cena e ficamos sem o cenário. Mas isso não nos impediria, de modo algum! Arrumamos um fotógrafo em Miami, com a cara e a coragem. Chegando lá, o furacão tinha desviado a rota, e a semana que era para ser chuvosa, na verdade, foi de sol de 40 graus!

Naquela semana de viagem, conhecemos um casal de brasileiros que vivia em Miami há muitos anos. A esposa era corretora de imóveis. Lembro de que peguei o contato dela e disse que, um dia, compraria um imóvel lá com ela. A Fernanda riu de mim e falou: "Não viaja! Comprar uma casa aqui? Com que dinheiro e pra quê?". Mas a ideia ficou em aberto, pelo menos para mim.

Mas os negócios exigiam dedicação total. Então, coloquei os sonhos em *stand by* e foquei nas vendas. As fotos ficaram incríveis, foram um marco, um divisor, além do que ninguém do nosso patamar havia feito algo assim. Não deu outra: a coleção vendeu como água e resultou em uma nova coleção com a mesma modelo. Estava dando tudo tão certo que ganhei coragem para montar uma loja em solo americano, tendo como sócia a modelo que trabalhou para nós. Lembro de que a Fê foi contra, assim como é no início de qualquer empreendimento, mas depois me dá apoio. Só que daquela vez foi diferente, pois todas as três mulheres da minha vida eram contra. Mas fiz mesmo assim. Vendo que eu estava determinado, a Fê disse: "Eu vou te ajudar, porque o seu negócio é o meu negócio. Nós vamos nos ferrar juntos e eu vou pagar o preço com você. Mas não confio em sermos sócios dela!"

Éramos sócios daquela modelo na loja internacional e isso, claramente, não podia dar certo. Mas tudo na vida é aprendizado, e os fracassos sempre trazem consigo muitos ensinamentos.

Pagamos o preço. Mandamos a mercadoria em exportação e contratamos um casal de jovens conhecidos da modelo que estavam precisando de trabalho. Foi preciso correr com tudo:

aluguel de espaço – que conseguimos graças à ajuda de um amigo brasileiro – e questões burocráticas como contabilidade e conta em banco. Recebemos a mercadoria e levamos mais dois funcionários da nossa equipe brasileira para encarar aquela empreitada!

Trabalhávamos por dias seguidos sem descanso e dormíamos no sofá da cama da casa dela. A moça mesmo não trabalhou, nem sabia por onde começar. Outro erro foi o planejamento do tempo necessário para começar aquele negócio: calculamos cerca de trinta dias para resolver tudo, mas o trabalho foi tanto que exigiu que ficássemos dois meses direto. Na última semana, resolvemos nos dar algum conforto e ficar em um hotel.

Mas as coisas sairiam piores do que o esperado. Com o tempo, as desavenças começaram a se tornar grandes problemas, tanto entre mim e a Fê como entre nós e a nossa nova sócia. Além disso, a manutenção da loja estava ficando cada vez mais complicada, havia pouca variedade e as vendas estavam baixas, sem contar que, por conta dos custos, o preço de venda era mais caro que no Brasil. No fim, o negócio passou a vender apenas para pagar as despesas, e depois, comecei a pagar para funcionar. Foi então que fechamos. Vendemos o lote para um brasileiro que morava lá e encerramos tudo.

Mas o meu sonho de vender para fora do país não tinha morrido ali. Era só um novo cálculo de rota, e a ideia para isso surgiria em breve. Pouco tempo antes de fecharmos a loja no exterior, um funcionário da minha equipe que gerenciava os acessos notou um perfil de consumidor diferente: havia muitos acessos de outros países, como Portugal, Espanha, Estados Unidos e outros. Os clientes concluíam a compra, mas o endereço de entrega ficava no Brasil. Resolvi investigar e, logo, muitas perguntas vieram: Por que comprar naquele formato? Comprar na loja internacional com entrega direta não seria mais conveniente?

Numa fração de segundo, a resposta veio como um furacão na minha mente. Brasileiros que moram no exterior compram para que familiares no Brasil façam o envio dos produtos para eles pelo correio. E quanto ao motivo para não comprarem no exterior? Preço e variedade. Era mais caro comprar na loja internacional e não tinha a variedade que tínhamos no Brasil.

Mal sabia aquele funcionário que era exatamente o que eu precisava ouvir. Tinha que vender para fora, sim, só que partindo do Brasil. Mas como? Entrei em contato com o pessoal da Vtex, que na época estava prestes a lançar um checkout internacional, o que significava receber no Brasil pedidos feitos a partir de qualquer lugar do mundo. Isso não era possível até aquele momento. Fui saber a quantas andava aquele projeto e prontamente embarquei na missão. Em uma reunião com o time interno, comecei o meu projeto da loja internacional com vendas partindo do Brasil. Repliquei a loja, colocamos o site em tradução automática, fechamos contrato com a FedEx e implantamos o checkout internacional. No início, com as poucas vendas, foi necessário subsidiar o frete, mas o futuro estava sendo plantado, eu queria crescer devagar e sempre!

Depois de tudo, ficou a lição. Muitas vezes, pagamos um preço alto para aprender na vida! Minha família tinha razão: alianças e sociedades não devem ser feitas entre pessoas que têm propósitos diferentes. Isso não significa que as ideias dos outros sejam melhores ou piores que as nossas, apenas são diferentes. Não temos que julgar o outro pelo que faz com a própria vida, mas precisamos avaliar se está realmente apto para andar debaixo do nosso propósito. Isso não é errado. Fatalmente, se você não fizer isso, trará mais problemas do que soluções para a sua vida. Ser empreendedor já é por si só um desafio diário. Cercar-se de pessoas que atrapalham, não porque querem, mas porque pensam diferente, não irá te ajudar em sua jornada! A chave para a prosperidade em qualquer área é a unidade de linguagem.

Ficaram o aprendizado e os contatos. Mais precioso que todo o dinheiro que perdemos foi a experiência que abriria as portas no futuro. Muitas vezes, não entendemos por que passamos por certas coisas na vida, nem porque fazemos algumas escolhas. Mas de uma coisa tenho certeza: toda experiência é matéria-prima para a próxima fase, tudo o que vivenciamos nos prepara para o que está por vir.

Nos dias atuais, o medo de falhar, de não dar conta das consequências tem impedido muitas pessoas de se moverem em direção àquilo que querem viver.

O que você sonha em fazer e experimentar sempre estará do outro lado do medo. Lembre-se sempre: o medo é a fé exercida ao contrário. Em vez de ter certeza de que o verdadeiro amor lança fora todo medo, tem, na verdade, certeza de que tudo vai dar errado.

Ora, a fé é a certeza daquilo que esperamos e a prova das coisas que não vemos. Deixar-se dominar pelo medo, a ponto de não agir, te separa da fé que verdadeiramente gera mudanças em sua vida.

CAPÍTULO 11

O CÓDIGO-FONTE

"Eles tentaram te enterrar vivo e não conseguiram. Agora você entendeu quem é a fonte."

PABLO MARÇAL

Quando voltamos de Miami, tomamos um baque. Durante os dois meses em que estivemos fora, pessoas que trabalhavam dentro da empresa levaram fornecedores e processos internos para concorrentes. Em outras palavras, havíamos sido traídos. Confesso que ficamos abalados, mas não por muito tempo. Era o momento de ligar as turbinas, pensar em novos produtos e organizar os lançamentos. Havia muito trabalho pela frente!

Era hora de vender. A Black Friday se aproximava, porém, o espaço físico que tínhamos não estava suficiente. Então, decidimos fazer a mudança de espaço com um plano infalível. Alugamos um prédio localizado em um parque industrial de uma antiga fábrica, que agora era um condomínio de empresas. Era um espaço gigante, justamente o que precisávamos. O desafio agora era fazer a mudança sem parar as vendas! Foi praticamente uma operação de guerra! Para não retirar tudo do lugar no estoque, separamos os pedidos de maneira organizada, envolvendo as cestas com os produtos em filmes plásticos – daqueles que envolvem as malas no aeroporto. Cada cesto que chegava já tinha lugar certo, com as indicações no chão. Essa estratégia sincronizada funcionou com muita eficiência, além do que foi lindo ver uma empresa sendo transferida de forma estratégica. Ideias simples podem fazer muita diferença nestes momentos, e pensar fora da caixa literalmente pode mudar o resultado. Passamos aquele final de semana trabalhando e, na segunda-feira, a empresa já operava normalmente.

Apesar de tudo fluindo, sabíamos que a mudança era por conta de um Black Friday. E como não se faz omelete sem quebrar ovos, recebemos mercadorias novas só após a mudança. Estávamos em cima da maior promoção de vendas on-line do ano! Não pensamos duas vezes, trabalhamos dobrado para receber tudo. Era mercadoria entrando e sendo conferida até altas horas, tudo para fazer a melhor Black Friday de todos os tempos. Ainda por cima tivemos que dar conta de um espaço novo, com vendas maiores, sem equipe extra, um verdadeiro desafio.

Aqueles dias foram uma loucura. Todo o pessoal do atendimento e do escritório separou pedidos. E por conta daquela explosão de consumo, foram necessários vários dias para regularizar o fluxo de pedidos novamente, mas o resultado das vendas não poderia ter sido melhor. Tivemos uma Black Friday acima das nossas previsões. Àquela altura, todo mundo naquela cidade de 200 mil habitantes já conhecia a nossa empresa. Mais do que isso: todos queriam ingressar nesse mercado. Parecia a corrida do ouro. Empresas de e-commerce, agências de desenvolvimento web e estúdios de fotos especializados pipocaram de todos os lugares. Foi uma verdadeira febre!

Nessa altura do campeonato, Carol, minha filha mais velha, já tinha entrado no barco para ser o escritório de advocacia que nos prestaria serviços, e a Luiza, minha filha mais nova, já estava terminando a faculdade de Designer e começando a assumir responsabilidades dentro da Honey Be.

Nossa família era um time. Jogávamos todos em busca do resultado. Foi um período que me lembro com muito carinho. As meninas ainda morando com a gente, já adultas, discutindo o negócio e as estratégias todos os dias no café da manhã. Tinha muita briga e estresse também, mas estávamos em uma fase de muita produção. Queríamos dar resultado, e nossos assuntos eram sempre em torno disso.

Implantamos em um curto período de tempo nosso APP, nossa loja internacional partindo do Brasil, e com lançamentos frenéticos, colocando a Honey Be em um outro patamar de crescimento.

Muitas vezes é necessário ter uma dose de loucura e obsessão para dar foco em alguma coisa na vida. Isso nos fez uma família mais unida e mais forte do que antes.

Agora elas estão casadas e com filhos, vivendo uma outra etapa. Mas a união e o apoio sempre estão por perto, conectados pela tecnologia e pelo coração.

Claro que a prosperidade também trouxe as fofocas. Aos poucos, pessoas que frequentavam a minha casa e viajavam em família comigo começaram a se afastar. Muitas coisas foram ditas em meu nome e no nome da Fernanda, mas decidimos não nos defender, afinal de que adiantaria? Sabíamos que toda aquela intriga tinha origem na inveja. O que acontece é que, quando se sai da média, uma parte da média não te aceita. É meio que uma forma de dizer: "Como assim você ousou sair?". Claro que aquela era uma percepção nossa, mas todos sabem que é o que costuma acontecer. Quer saber se uma pessoa é sua amiga de verdade? Fale pra ela o quanto de sua vida está indo bem, o quanto tudo está dando certo, que você está ganhando bem e que seu negócio está crescendo! Então, observe a reação. Aqueles que de fato torcem por você vão comemorar. Todos os outros vão se afastar e falar de você pelas costas.

Não foi esse o cenário que imaginamos, e foi difícil lidar com aquela rejeição. Na época, a Fê chegou a ficar depressiva. O jeito foi nos fechar para o mundo e passar a viver cada vez mais dedicados à família e ao trabalho. Em 2018, as vendas tinham proporcionado dinheiro suficiente para fazer um investimento. Eu queria diversificar e voltei a sonhar com uma casa no exterior. Lembra dos contatos que fizemos lá em 2015? Chegou a hora de usar esses contatos para ir a um próximo nível.

Compramos uma casa de férias em Orlando e separamos um dinheiro para mobiliar. Era muito caro contratar uma empresa, mas como a Fernanda e as meninas minhas filhas Luiza e Carol adoram decoração, fomos viver esta aventura juntos. E foi uma loucura, parecia um reality show. O tempo era curto, então, decidimos comprar tudo pessoalmente. Montamos uma casa completa com tudo, tudo mesmo! Foi difícil aprender tantas coisas novas em um curto espaço de tempo, mas entramos juntos nessa.

Saímos de lá dando os últimos ajustes na casa já no dia de voltar para o Brasil, mas deu tudo errado. Descobrimos que a imobiliária que contratamos para fazer as locações simplesmente não alugava a casa. Mas não tínhamos comprado uma casa para passear, tínhamos comprado um investimento fora do país. Foi aí que meu genro e eu tivemos a ideia: e se colocássemos a casa para alugar por nossa conta? Podemos reservar datas no calendário e fazer o teste, eles não alugavam nada mesmo... não havia nada a perder. Foi aí que ele começou a estudar e colocar a ideia em prática. Começamos a fazer várias locações, e deu para pagar as contas da casa e ainda sobrar dinheiro.

Em agosto de 2018 estávamos voltando para montar mais uma casa. Não dava para acreditar que em menos de um ano tínhamos 2 casas de férias em Orlando. Já estávamos nos planejando para quem sabe, mudar um dia pra lá. Minhas filhas queriam viver essa experiência também. Nesse momento, Matteus, meu genro, já estava afiado nas locações. Arrumamos uma outra administradora mais fácil de fazer contato para resolver nossas demandas e colocamos mais uma casa para alugar. E tudo isso no mesmo ano da maior greve de caminhoneiros da história do Brasil. Foi puxado, um baque para uma empresa que vende 100% no on-line.

Com mais uma crise contornada, montamos mais uma casa fora do Brasil. Conseguimos mandar o dinheiro para o pagamento no último minuto e quase perdemos o negócio. Estava tudo desequilibrado por conta da greve, mas não desistimos, fomos em frente. Comecei a entender que precisava buscar novas energias, novas frequências. Depois de toda a experiência, Friburgo havia ficado pequena para mim. Não tinha com quem trocar conhecimento, não conhecia ninguém novo. As semanas pareciam todas iguais quando eu estava lá. Aquilo foi me deixando inquieto, todos os fins de semana fazíamos as mesmas coisas. Eu queria viver algo novo.

Fazendo novas conexões

Em minhas buscas por novos conteúdos, esbarrei em um cara no YouTube. Ele era diferente, concordava com tudo que ele dizia e me trazia coisas novas que eu ainda não havia escutado. Comecei a consumir o conteúdo dele e a aprender muito. A princípio, só eu escutava. Coloquei Fernanda e as meninas para ouvirem algumas coisas e elas gostaram, mas não se conectaram logo de cara com ele. Em uma de suas postagens, vi que haveria uma mentoria com ele. Um tal de método IP.

Mandei mensagem e marquei para mim e para Fernanda. Ela concordou, sabia que eu estava procurando novas conexões e novos aprendizados, então topou de cara. Como ele sempre falava muito sobre negócios, achei que a mentoria fosse só sobre isso, e embarquei esperando aprender muita coisa nova. Soubemos que haveria uma palestra no dia anterior e resolvemos ir, já que estávamos em São Paulo. Quando chegamos lá, tinha umas 60 pessoas, mais ou menos. A sala era pequena para todos, mas ficamos mesmo assim (ainda não existia preocupação com a pandemia). Pablo falou algumas coisas sobre tecnologia e fez algumas perguntas para as pessoas que estavam na palestra. Lembro que ficamos chocados, pois eram coisas básicas do mundo de vendas on-line que as pessoas sequer sabiam que existiam.

Algumas pessoas da nossa cidade sempre me procuravam para tirar dúvidas de como fazer para entrar no mercado on-line, e como sempre, fui um entusiasta do mercado digital. Passava horas explicando várias coisas. Cheguei a dar uma consultoria para uma fábrica grande de lingerie que queria ir para o e-commerce, além de prestar consultoria a uma empresa de fechaduras, uma das maiores do Brasil. Eu adorava passar horas falando sobre as possibilidades e soluções. Um dos motivos de estar no IP era ver como tudo funcionava para, talvez, montar um curso na minha área.

Começou o IP e nossa mente estava retorcendo já na primeira parte da manhã. Fernanda queria ir, embora acreditando que era coisa de igreja e, como o trauma era latente, tive que convencê-la a ficar. Afinal, já estava tudo pago, não tínhamos nada a perder ficando até o fim. E Assim fizemos. Saímos de lá resetados, prontos para uma nova etapa em nossas vidas.

Já tínhamos marcado para nossas filhas participarem da próxima mentoria. Pablo abriu uma que faria na casa dele. Fiquei na dúvida, já que a mentoria era sobre 7 dígitos, e eu claramente já estava acima disso. Então me aproximei dele e perguntei se aquela mentoria era para mim, já que já faturava bem acima desse valor. Até hoje, ele me lembra desse dia e implica comigo, rindo de como fui arrogante.

Duas semanas depois eu estava de volta a Alphaville para essa mentoria. Desta vez, Fernanda tinha ficado. Antes de começar, eu me dirigi a ele e disse quem eu era, qual era meu negócio e o que eu fazia, um breve relato. Lembro-me de ter falado algo que o fez parar e me olhar no fundo da alma... eu disse a seguinte frase: "Já fui da igreja, mas não pertenço mais àquele lugar, obrigado por ter me reconectado a Deus". Foi aí que ele disse: "Esquece isso de igreja. Estar na igreja é muito bom, mas mais importante é estar conectado à FONTE, nunca se esqueça que você é a igreja, eu posso ver isso no seu coração através dos seus olhos". Naquele momento, esses mesmos olhos se encheram de lágrimas, e ouvi Deus falando ao meu espírito: "Eu sempre estive aqui, meu filho, que bom que voltou. Prepare-se para viver o Evangelho real e fazer grandes coisas." Ali eu já sabia por que precisava estar naquele lugar.

Em um dado momento, Pablo falava das possibilidades de conexões que uma mentoria assim poderia proporcionar. Pediu que as pessoas olhassem para os lados e vissem oportunidades. Começou então a perguntar algumas coisas sobre o que cada um fazia e em que trabalhava. Nesse momento, falei sobre a minha empresa para os presentes, e me lembro de ele dizer: "As pessoas carregam peças que são complementares aos outros, como num jogo de lego, porém não basta adquirir riqueza e conhecimento se isso não tiver propósito e não puder ajudar as outras pessoas". Aquilo me fez pensar sobre o quanto eu tinha me fechado em mim mesmo em todos os aspectos, foi um soco na minha cara, literalmente. O dia se passou com ele palestrando e distribuindo sabedoria de uma forma que eu nunca havia visto. Em uma dinâmica, perguntou sobre experiências que já havíamos tido sobre negócios e separou os grupos. Então, fui para o grupo que já tinha experiência com importações da China, e ali rolou um *mastermind* poderoso de troca de ideias. Acabamos nos tornando sócios em um projeto que, por conta da pandemia de COVID-19, mais à frente não poderia acontecer, mas o fato é que ali na sala da sua casa já havíamos nos conectado. Nesse mesmo dia conheci Nezio Monteiro, hoje meu sócio em outro projeto, e Diego Vicente, cunhado dele, quem se tornou meu parceiro em vários projetos e mentor...

Lembro-me de que o Diego grudou em mim para entender sobre mercado on-line. Ele também trabalhava com moda e confecção e, naquele momento, ele nem sabia que seria meu aluno e que o negócio da família dele tomaria novos rumos. Depois de tanto aprendizado na mentoria e de um furacão de ideias, veio o confronto por parte do Pablo: "Chegou a hora de você transbordar e mudar a vida de pessoas e famílias através do seu conhecimento em negócios on-line, libertar e trazer prosperidade a elas. Quando será a sua mentoria?" Eu respondi: "No ano que vem". Então, ele falou: "Não, quero este ano, me dê a data... estas pessoas que estão aqui aprenderiam com você, então, me dê a data e faça, se você entendeu o que de verdade precisa ser feito". Ali dei a data: "Será 13/12/2019". Pronto, eu havia me comprometido a começar a ensinar com propósito.

A mentoria correu seu curso, acabou muito tarde e eu estava exausto de tanto conhecimento, troca de energia e frequência com várias pessoas. Lembro-me de ter ido para o hotel e a Fernanda me ligar e perguntar: "E aí, amor, como foi o dia? Me conta..." E respondi: "Foi uma loucura!" Naquele momento Deus me fala audivelmente: "Vocês vão se mudar de lugar, vocês não vão mais morar onde moram, em menos de um ano vocês vão morar em Alphaville. Eu estou chamando vocês para fazerem o que Eu havia prometido no dia do batismo de vocês". Eu, surpreso, só obedeci. Ela, surpresa, disse, como sempre faz: "Tá bom, meu amor, se Ele falou, tá falado... descanse e, quando voltar a Fribrugo, me conta tudo".

Retornei e comecei a obedecer a tudo o que Deus estava me ordenando. Fiz a primeira edição do E-commerce Experience na data prometida. Havia 12 pessoas na sala, sendo que seis delas eram meus parentes dando uma força moral. Daí em diante, foquei em desenvolver o evento e comecei a colher frutos de pessoas sendo transformadas em todas as edições. A segunda foi na sede da loja Via Terra Jeans, em Goiânia, e o Diego, lembra dele? Pois é! Ele acreditou em mim e fizemos a edição lá, e depois disso a empresa dele também entrou no on-line, ele se transformou de aluno em mentor e as mudanças não pararam. A cada edição, uma expansão de conhecimento técnico e palavras de vida do Reino sendo entregues.

Eu e a Fernanda entramos numa frequência assustadora de produção, aprendizado e vontade de servir. Em todas as edições seguintes – na época, ainda presenciais – participamos como staff do método IP, crescendo em sabedoria e em servir, afinal, maior é o que serve. Depois, veio a pandemia e o mundo parou, mas nós, não. Nosso espírito estava forte e nutrido de confiança.

O tempo passou, veio minha participação no MDM chamado de F10K, no qual dei aula para mais de 10 mil alunos e, depois, no reality educativo La Casa Digital 1. Após um longo afastamento do Pablo por conta da pandemia, ele me chamou e eu estava pronto para servir novamente. Foi um sucesso, não só a minha participação, mas também do La Casa Digital. Ao retornar a Friburgo, eu disse: "Chegou a hora de mudar para Alphaville e cumprir nosso novo ciclo". A mudança aconteceu no dia 05/12/2020, e logo na sequência, exatamente 1 ano depois, em março de 2021, mudamos a logística e o estoque – dois setores importantes da nossa empresa – sendo que os demais continuaram em Nova Friburgo. Foram muitas transformações, tanto físicas e mentais como espirituais...ufa!

Aqui encerro parte da minha trajetória que está somente começando. Só Ele sabe o que está por vir, e nem quero saber, só vou obedecendo. Lembre-se: se você está lendo este livro, foi porque um dia alguém transbordou na minha vida, me apresentou o Reino de Deus em sua essência, sem dogmas ou religião, me despertou para o meu propósito e me fez entender quem sou na minha mais profunda identidade. Esse alguém foi o Pablo Marçal, que da FONTE não reteve, mas transbordou, assim como entendi e também transbordo hoje, meu desejo é que você entenda toda essa mensagem e deixe o rio fluir, não retenha as águas.

Que este livro possa despertar tudo o que há de melhor em você. Que te faça perceber que pode todas as coisas, que não existem fracassos e desafios que não sejam para edificar seu espírito e te preparar para ser aquilo que Deus te chamou: ser um vencedor!